CB070922

AGATHA CHRISTIE

A EXTRAVAGÂNCIA DO MORTO

Tradução de
Sônia Coutinho

HarperCollins

Rio de Janeiro, 2020

Título original: Dead's man folly
Copyright © Agatha Christie Limited, 1956.

Direitos de edição da obra em língua portuguesa no Brasil adquiridos pela CASA DOS LIVROS EDITORA LTDA. Todos os direitos reservados. Nenhuma parte desta obra pode ser apropriada e estocada em sistema de banco de dados ou processo similar, em qualquer forma ou meio, seja eletrônico, de fotocópia, gravação etc., sem a permissão do detentor do copyright.

Rua da Quitanda, 86, sala 218 – Centro – 20091-005
Rio de Janeiro – RJ – Brasil
Tel.: (21) 3175-1030

Para Humphrey e Peggy Trevelyan

DIRETORA EDITORIAL: RAQUEL COZER
GERENTE EDITORIAL: ALICE MELLO
EDITOR: ULISSES TEIXEIRA
PRODUÇÃO EDITORIAL: JACIARA LIMA E MARCELA ISENSEE
REVISÃO: Augusto COUTINHO E RACHEL MATTOS
DIAGRAMAÇÃO: JULIO FADO
PROJETO GRÁFICO DE CAPA: MAQUINARIA STUDIO

CIP-BRASIL. CATALOGAÇÃO NA PUBLICAÇÃO
SINDICATO NACIONAL DOS EDITORES DE LIVROS, RJ

C479e
    Christie, Agatha
    A extravagância do morto / Agatha Christie ; tradução Sônia Coutinho. - 1. ed. - Rio de Janeiro : HarperCollins, 2017.
    216 p.

    Tradução de: Dead man's folly
    ISBN 978-85-9508-001-0

    1. Ficção inglesa. I. Coutinho, Sônia. II. Título.

16-36997   CDD: 823
                                        CDU: 821.111-3

Sumário

Capítulo 1 7

Capítulo 2 17

Capítulo 3 27

Captítulo 4 41

Capítulo 5 53

Capítulo 6 67

Capítulo 7 79

Capítulo 8 91

Capítulo 9 101

Capítulo 10 111

Capítulo 11 121

Capítulo 12 131

Capítulo 13 143

Capítulo 14 151

Capítulo 15 159

Capítulo 16 167

Capítulo 17 181

Capítulo 18 197

Capítulo 19 201

Capítulo 20 207

1

FOI A SRTA. LEMON, a eficiente secretária de Poirot, quem atendeu o telefone.

Depois de guardar sua caderneta de notas taquigráficas, ela levantou o fone e disse, com voz neutra: "Trafalgar 8137".

Hercule Poirot recostou-se em sua cadeira de espaldar reto e fechou os olhos. Seus dedos tamborilaram sobre a borda da mesa, com um ritmo pensativo e lento. Em sua mente, ele continuava a compor os períodos elaborados da carta que estava ditando.

Cobrindo com a mão o bocal do fone, a srta. Lemon perguntou, em voz baixa:

— O senhor atende a uma chamada pessoal de Nassecombe, Devon?

Poirot franziu a testa. Aquele lugar não lhe fazia lembrar nada.

— Quem quer falar comigo? — perguntou, cautelosamente.

A srta. Lemon descobriu o fone e fez a pergunta.

— Ari o quê? — indagou, em tom de dúvida. — Ah, sim. Quer repetir o sobrenome, por favor?

Ela se virou outra vez para Hercule Poirot.

— Sra. Ariadne Oliver.

As sobrancelhas de Poirot se ergueram de repente. Uma lembrança lhe veio à mente: cabelo grisalho e despenteado... um perfil aquilino...

Levantou-se e pegou o telefone.

— Quem fala é Hercule Poirot — anunciou, em tom pomposo.

— É o sr. Hercules Porrot em pessoa que está falando? — perguntou a suspeitosa voz da telefonista.

Poirot garantiu-lhe que sim.

— Fala o sr. Porrot — disse a voz.

Seu tom fino e esganiçado foi substituído por um magnífico contralto, que fez Poirot afastar apressadamente o fone alguns centímetros do ouvido.

— Monsieur Poirot, é realmente o senhor? — perguntou a sra. Oliver.

— Em carne e osso, Madame.

— Aqui é a sra. Oliver. Será que se lembra de mim?

— Claro que me lembro, Madame. Quem poderia esquecê-la?

— Ah, as pessoas às vezes esquecem — disse a sra. Oliver. — Com muita frequência, aliás. Não creio que eu tenha uma personalidade muito marcante. Ou talvez seja porque estou sempre mudando de penteado. Mas não é disso que quero falar. Espero não estar tirando o senhor de alguma de suas terríveis ocupações.

— Não, não, a senhora não está atrapalhando, de maneira alguma.

— Ainda bem, não quero perturbá-lo de jeito nenhum. Mas o fato é que preciso do senhor.

— Precisa de mim?

— Sim, imediatamente. Pode tomar um avião?

— Não viajo de avião. Detesto voar.

— Eu também. Bom, de qualquer maneira, acho que não seria mesmo mais rápido do que trem porque o aeroporto mais próximo fica em Exeter, a quilômetros de distância. Então venha de trem. A partida de Paddington para Nassecombe é às doze horas. Ainda dá tempo. Faltam quarenta e cinco minutos, se meu relógio está certo, o que raramente acontece.

— Mas onde se encontra a senhora, Madame? *E de que se trata?*

— Mansão Nasse, Nassecombe. Um automóvel ou um táxi estará esperando-o na estação, em Nassecombe.

— Mas por que precisa de mim? *De que se trata?* — Poirot repetiu, freneticamente.

— Os telefones ficam sempre em locais tão pouco convenientes — disse a sra. Oliver. — Este aqui está no *hall*... As pessoas passam conversando... Não consigo ouvir direito. Mas estou esperando o senhor. Todos vão ficar *muito* impressionados. Até logo.

Houve um ruído forte, quando o telefone foi desligado. Em seguida, um leve zumbido na linha.

Com um ar perplexo e atarantado, Poirot desligou o telefone e murmurou alguma coisa, muito baixinho. A srta. Lemon estava sentada, com o lápis pronto para taquigrafar, sem demonstrar nenhuma curiosidade. Ela repetiu em voz baixa a frase final do ditado, antes da interrupção.

— ..."quero garantir-lhe, prezado senhor, que a hipótese por si formulada..."

Poirot fez um gesto que interrompia a formulação de qualquer hipótese.

— Era a sra. Oliver — disse. — Ariadne Oliver, a escritora de romances policiais. A srta. deve ter lido... — Mas parou de falar, lembrando que a srta. Lemon só lia livros instrutivos e encarava com desprezo frivolidades como narrativas de crimes. — Ela quer que eu viaje para Devonshire hoje, imediatamente, dentro de — deu uma olhada no relógio — trinta e cinco minutos.

A srta. Lemon ergueu as sobrancelhas, com ar de desaprovação.

— É uma corrida e tanto — disse. — E qual o motivo?

— Eu sei lá! Ela não me explicou.

— Que coisa estranha! E por quê?

— Porque — disse Hercule Poirot, com ar pensativo — ela tinha medo que a escutassem. Sim, deu a entender isto bem claramente.

— Mas que coisa! — disse a srta. Lemon, numa defesa irritada de seu patrão. — As pessoas fazem cada pedido! Veja só, pensar que o senhor ia sair em disparada, desse jeito! Um homem importante como o senhor! Sempre achei que esses artistas e escritores são muito desequilibrados, não têm o menor senso de medida. Quer que eu passe um telegrama por telefone, dizendo: "Desculpe, mas não posso sair de Londres"?

Ela estendeu a mão em direção ao telefone. A voz de Poirot interrompeu o gesto.

— *Du tout!* — disse. — Pelo contrário. Por favor, chame um táxi imediatamente. — Ergueu a voz. — Georges! Ponha alguns objetos indispensáveis de toalete em minha maleta. Depressa, muito depressa porque eu preciso pegar o trem.

II

O trem, após percorrer em alta velocidade as primeiras cento e oitenta milhas de seu percurso de duzentas e doze, resfolegou com humilde lentidão nas trinta finais e parou na estação de Nassecombe. Só uma pessoa desembarcou, Hercule Poirot. Ele transpôs com cuidado a brecha imensa entre a escadinha do vagão e a plataforma e deu uma olhada em torno. Lá no final do trem, um carregador se movimentava dentro de um compartimento de carga. Poirot foi pegar sua maleta e voltou caminhando pela plataforma até a saída. Entregou seu bilhete e saiu da estação.

Lá fora estava parado um grande automóvel Humber, e um motorista fardado se aproximou.

— Sr. Hercule Poirot? — perguntou, em tom respeitoso.

Tomou a valise das mãos de Poirot e abriu a porta do carro. Partiram da estação, passaram pela ponte ferroviária e viraram numa estrada rural cheia de curvas, com sebes dos dois lados. Em breve, um declive, à direita, revelou uma linda vista de um rio com montanhas de um azul nevoento ao longe. O motorista atravessou a sebe e parou o automóvel.

— O rio Helm, senhor — disse. — E Dartmoor, lá longe.

Evidentemente, era preciso manifestar admiração. E Poirot o fez, murmurando várias vezes *Magnifique!* Na verdade, a natureza o atraía pouquíssimo. Uma horta bem tratada, com canteiros certinhos, teria muito mais possibilidades de lhe trazer aos lábios exclamações admirativas. Duas moças passaram pelo carro, subindo a encosta com esforçada lentidão. Carregavam às costas pesadas mochilas, usavam *shorts* e tinham lenços muito coloridos amarrados à cabeça.

— Há um Albergue de Juventude vizinho a nós, senhor — explicou o motorista que, obviamente, arvorava-se em guia de Poirot em Devon. — Hoodown Park. Quem morava lá era o sr. Fletcher. Mas essa Associação de Albergues da Juventude comprou a propriedade e agora aquilo fica apinhado durante o verão. Mais de cem hóspedes cada dia, imagine. Mas só têm permissão para ficar por uns dias e então são obrigados a ir embora. Rapazes e moças, na maioria estrangeiros.

Poirot balançava a cabeça, distraído. Estava pensando, e não pela primeira vez, que vistos de costas os *shorts* só ficam bem em pouquíssimas criaturas do sexo feminino. Fechou os olhos, aborrecido. Por que, ora, por que as moças se vestiam assim? Aquelas coxas avermelhadas não eram nada atraentes.

— Parece que a carga é muito pesada para elas — murmurou.

— Sim, senhor, e a caminhada da estação ou ponto de ônibus até lá é um bocado longa. São quase duas milhas até Hoodown Park. — Ele hesitou. — Se não se importa, senhor, podíamos dar uma carona a elas.

— Claro, claro — disse Poirot, em tom benevolente.

Enquanto ele desfrutava o luxo de um automóvel quase vazio, aquelas duas jovens arquejavam e suavam, vergadas ao peso de pesadas mochilas e sem ter a menor ideia de como se vestir de maneira atraente para o sexo oposto. O motorista arrancou o carro e parou, com um lento ronrom, ao lado das duas moças. Elas ergueram esperançosamente os rostos corados e suados.

Poirot abriu a porta e as jovens entraram.

— É muito gentil da sua parte — disse uma delas, uma moça clara, com sotaque estrangeiro. — Caminho mais longo do que eu pensar, sim.

A outra jovem, que tinha um rosto bronzeado e muito corado e cachos castanhos, avermelhados pelo sol, escapando por sob o lenço, apenas sacudiu várias vezes a cabeça, exibiu os dentes num sorriso e murmurou *Grazie*. A loura continuou a falar com vivacidade.

— Eu vir Inglaterra por duas semanas férias. Vir da Holanda. Gosto muito Inglaterra. Visitar Stratford Avon, Teatro Shakespeare e Castelo Warwick. Depois estar em Clovelly, agora ver Catedral Exeter e Torquay, muito bonito, venho para famoso local bela paisagem aqui e amanhã atravessar rio, ir para Plymouth, de onde fizeram descoberta do Novo Mundo, partindo de Plymouth Hoe.

— E você, *signorina?* — disse Poirot, virando-se para a outra moça. Mas ela apenas sorriu e abanou os cachos.

— Ela não falar muito inglês — disse amavelmente a jovem holandesa. — Nós duas falar um pouco francês, por isso conversar no trem. Ela vir de perto de Milão e ter parenta em Londres casada com senhor dono de casa de verduras. Ela vir com amiga para Exeter ontem, mas amiga comer pastel vitela presunto estragado em restaurante de Exeter e ter de ficar lá doente. Não bom, no calor, pastel vitela presunto.

O motorista diminuiu a velocidade num ponto em que a estrada se dividia numa encruzilhada. As moças saltaram, agradecendo em duas línguas e seguiram pelo caminho à esquerda. O motorista perdeu por um momento seu ar de distanciamento olímpico e disse, enfaticamente, a Poirot:

— Não é só pastel de vitela e presunto. É preciso ter cuidado também com as empadas de carne. Eles enfiam qualquer coisa dentro de uma empada nesse período de férias!

Tornou a arrancar o carro e seguiu pela estrada à direita que, logo depois, cruzou um denso bosque. Continuando a conversa, o motorista deu o seu veredicto final sobre os hóspedes do Albergue da Juventude de Hoodown Park.

— Tem algumas moças boazinhas naquele albergue — disse; — mas é difícil fazer elas entenderem o que é invasão. É incrível como invadem. Parece que não sabem que a propriedade de um cavalheiro é *particular* aqui. Estão sempre entrando em nossos bosques, fingindo não entender o que se diz a elas. — Sacudiu a cabeça, com ar aborrecido.

O automóvel seguiu em frente, desceu um escarpado declive, dentro dos bosques, cruzou grandes portões de ferro e, após percorrer uma aleia pavimentada, parou afinal diante de uma grande casa branca, em estilo georgiano, com vista para o rio.

O motorista abriu a porta do carro, enquanto um mordomo de elevada estatura e cabelos negros aparecia no topo da escada.

— Sr. Hercule Poirot? — murmurou este último.

— Sim.

— A sra. Oliver está à sua espera, senhor. Poderá encontrá-la ali fora. Permita-me mostrar-lhe o caminho.

Poirot foi conduzido a uma estradinha cheia de curvas que cruzava o bosque e de onde se avistavam trechos do rio, lá embaixo. O caminho ia descendo progressivamente, até dar, afinal, num espaço aberto, de forma arredondada, contornado por um parapeito baixo, ameado. A sra. Oliver estava sentada sobre o parapeito.

Ela se levantou para recebê-lo e várias maçãs caíram de seu colo, rolando em todas as direções. As maçãs pareciam ser um *motif* inevitável nos encontros com a sra. Oliver.

— Não sei por que estou sempre derrubando as coisas — disse a sra. Oliver, de maneira um tanto inaudível, porque sua boca estava cheia de maçã. — Como vai, Monsieur Poirot?

— *Très bien, chère Madame* — respondeu Poirot, polidamente. — E a senhora?

A sra. Oliver tinha o aspecto um tanto diferente da última vez em que Poirot a vira, devido ao fato de ter — como já confidenciara pelo telefone — feito uma nova experiência com a *coiffure*. No derradeiro encontro com Poirot, ela usava um penteado revolto. Agora, seu cabelo, todo azulado, estava puxado para o alto, cheio de cachinhos um tanto artificiais, num pseudoestilo marquesa. Mas o aspecto de marquesa acabava em seu pescoço, porque o resto poderia definitivamente ser rotulado como "moda prática campestre", e consistia num conjunto de saia e casaco em *tweed* amarelo-gema e uma blusa num tom mostarda meio bilioso.

— Sabia que viria — disse alegremente a sra. Oliver.

— A senhora não poderia adivinhar — disse Poirot, com severidade.

— Ah, adivinhei, sim.

— Eu ainda me pergunto *por que* estou aqui.

— Ora, eu sei a resposta. Curiosidade.

Poirot fitou-a com um brilho no olhar.

—Talvez pela primeira vez sua famosa intuição feminina não a tenha desviado muito da verdade — disse ele.

— Não vá rir, agora, da minha intuição feminina. Não descubro sempre, imediatamente, quem é o assassino?

Poirot manteve um silêncio cortês. Senão poderia ter respondido: "Talvez na quinta tentativa, e mesmo assim nem sempre".

Em vez disso, disse, olhando em torno:

— A senhora tem aqui, realmente, uma bela propriedade.

— Mas não me pertence, Monsieur Poirot. Pensou que sim? Ah, não, é de uma tal família Stubbs.

— Quem são eles?

— Ninguém importante — disse vagamente a sra. Oliver. — Só têm dinheiro. Eu estou aqui profissionalmente, fazendo um serviço.

— Ah, está captando a cor local para algum de seus *chefs-d'oeuvre*?

— Não, não. É exatamente o que eu falei. Estou fazendo um *serviço*. Fui contratada para preparar um assassinato.

Poirot olhou-a.

— Ah, mas não é de verdade — disse a sra. Oliver, em tom tranquilizador. — Vai haver aqui amanhã uma grande festa, ou algo parecido, e a novidade vai ser uma Caçada ao Assassino. Planejada por mim. Como uma Caçada ao Tesouro, sabe? Só que já fizeram tantas vezes essa Caçada ao Tesouro que, agora, pensaram em apresentar uma coisa nova. Então me ofereceram um pagamento bastante substancial para vir aqui e planejar a brincadeira. Muito engraçado, realmente rompe com a cansativa rotina.

— E como será?

— Ah, naturalmente haverá uma Vítima. E Pistas. E Suspeitos. Tudo um tanto estereotipado sabe, a Mulher Fatal, o Chantagista, o Jovem Casal, o Mordomo Sinistro, etc. Após pagar uma entrada de cinco xelins, a pessoa recebe a primeira Pista e parte então para descobrir a Vítima, a Arma, Quem Faz Aquilo e o Motivo. E são distribuídos Prêmios.

— Sensacional! — exclamou Hercule Poirot.

— Na verdade — disse aborrecida a sra. Oliver —, tudo isso é muito mais difícil de planejar do que o senhor pensa. Porque é preciso acreditar que as pessoas são suficientemente inteligentes, enquanto em meus livros não é necessário.

— E foi para ajudar a senhora a planejar tudo que me chamou?

Poirot não fez muito esforço para evitar que sua *voz* assumisse um tom de ressentimento horrorizado.

— Ah, *não* — disse a sra. Oliver. — Claro que não! Já preparei tudo. Todos os detalhes estão prontos para amanhã. Não, eu o chamei por um motivo bem diferente.

— Que motivo?

A sra. Oliver levou as mãos à cabeça. Estava prestes a passá-las freneticamente pelo cabelo, no antigo gesto habitual, mas se lembrou em tempo do penteado sofisticado. Então, deu vazão aos seus sentimentos puxando os lobos das orelhas.

— Talvez eu esteja louca — disse. — Mas acho que há alguma coisa errada.

2

FEZ-SE UM MOMENTO de silêncio, enquanto Poirot a observava. Depois ele perguntou, abruptamente:
— Alguma coisa *errada*? Como assim?
— Não sei... É isto que eu quero que o senhor descubra. Mas fui sentindo, cada vez mais, que estava sendo... ora! *Manobrada*... enganada... Pode dizer que sou louca, se quiser, mas só posso dizer que, se um *verdadeiro* assassinato estiver planejado para amanhã, e não uma brincadeira, não será surpresa para mim!
Poirot encarou-a e ela lhe devolveu o olhar, num desafio.
— Muito interessante — disse Poirot.
— Com certeza acha que eu sou completamente maluca — disse a sra. Oliver, em tom defensivo.
— Jamais a considerei uma louca — disse Poirot.
— E eu sei o que o senhor sempre diz a respeito de intuição, ou o que pensa a respeito.
— As coisas são chamadas por nomes diferentes — disse Poirot. — Não me custa crer que a senhora tenha observado ou ouvido algo que lhe tenha despertado ansiedade. Acho possível que nem a senhora mesma saiba o que viu, notou ou ouviu. Só tem consciência do *resultado*. Por assim dizer, não sabe o que sabe. Pode colocar nisto o rótulo de intuição, se quiser.
— A pessoa se sente tão tola — disse a sra. Oliver, com pesar — quando não consegue ser *precisa*.
— Vamos chegar lá — disse Poirot em tom encorajador. — Disse que teve a sensação de estar sendo... como foi mesmo... enganada? Pode explicar com mais clareza o que quis dizer?

— Ah, é um tanto difícil... Sabe, o assassinato é *meu,* por assim dizer. Eu o inventei e planejei, e tudo se encaixa nos menores detalhes. Se o senhor sabe alguma coisa a respeito de escritores não deve ignorar que não suportam sugestões. As pessoas dizem: "Maravilhoso, mas não seria ainda melhor daquela outra maneira?" Ou então: "Que ótima ideia, não acha, se a vítima fosse A, em vez de B, ou o assassino D, em lugar de E". E ficamos com vontade de replicar: "Ora, então escreva o livro você mesmo, se quer que seja assim!"

Poirot balançou a cabeça, concordando.

— E foi isso que aconteceu?

— Mais ou menos. Fizeram esse tipo de sugestão tola e então eu reagi energicamente. Desistiram, mas insinuaram uma outra pequena sugestão, de menor importância e, como eu tinha resistido à outra, aceitei a segunda sem lhe dar grande atenção.

— Ah, sim — disse Poirot. — Trata-se de uma técnica... É feita a proposta de uma coisa tosca e disparatada — mas não se pretende que seja aceita. O objetivo é fazer passar a minúscula alteração. Não é isso que a senhora quer dizer?

— É exatamente o que quero dizer — respondeu a sra. Oliver. — E, naturalmente, *talvez* seja imaginação minha, mas não creio. Na verdade, nenhuma dessas coisas têm, aparentemente, a menor importância. Mas fiquei preocupada, não só com elas mas também com uma espécie de, ahn, *atmosfera.*

— Quem lhe sugeriu essas alterações?

— Pessoas diferentes — disse a sra. Oliver. — Se fosse apenas *uma* pessoa, eu saberia melhor onde estava pisando. Mas não foi só uma pessoa, embora eu ache que, na realidade, foi. Quero dizer, trata-se de uma só pessoa trabalhando através de outras que não suspeitam de nada.

— Tem alguma ideia de quem é essa pessoa?

A sra. Oliver abanou a cabeça.

— É alguém muito inteligente e cuidadoso — disse.

— Poderia ser qualquer um.

— Quem está aqui? — perguntou Poirot. — O elenco de personagens deve ser mais ou menos limitado, não?

— Ah — começou a sra. Oliver —, há Sir George Stubbs, que é o dono da propriedade. Rico, plebeu e terrivelmente estúpido para tudo que não se refira a negócios, eu acho, mas provavelmente inteligentíssimo em seu setor. E também Lady Stubbs, Hattie, cerca de vinte anos mais nova do que ele, bonita, mas completamente idiota. Acho que ela é mesmo débil mental. Casou com ele por dinheiro, claro, e não pensa em outra coisa a não ser em roupas e joias. E há também Michael Weyman, um arquiteto muito jovem, com boa aparência e um jeito boêmio de artista. Ele está projetando um pavilhão de tênis para Sir George e consertando a Extravagância.[1]

— Extravagância? Que é isso — um baile de máscaras?

— Não, é uma edificação. Um desses pequenos templos, ou algo parecido, branco, com colunas. Deve ter visto coisas parecidas em Kew. E há também a srta. Brewis, uma espécie de secretária-governanta, que administra tudo e escreve cartas, muito severa e eficiente. E ainda as pessoas que vêm de fora para ajudar. Um casal jovem que alugou um chalé perto do rio, Alec Legge e sua mulher, Sally. E o capitão Warburton, corretor dos Mastertons. E os Mastertons, claro, e a sra. Folliat, que mora no antigo pavilhão de caça. A família de seu marido era proprietária de Nasse, no início. Mas todos os membros morreram, ou perderam a vida na guerra, e havia muitos impostos de transmissão a pagar, de modo que o último herdeiro vendeu a propriedade.

Poirot meditou sobre a lista de personagens mas, naquele momento, não passavam de nomes para ele. Voltou à questão principal.

— De quem foi a ideia da Caçada ao Assassino?

---

[1] Nota do tradutor — a palavra *Folly,* empregada no texto, significa ao mesmo tempo loucura, tolice, extravagância e também denomina, popularmente, construções caras e consideradas inúteis.

— Acho que foi da sra. Masterton. Ela é a mulher do representante local no Parlamento, e tem uma boa capacidade de organização. Foi ela quem convenceu Sir George a fazer a festa aqui. O local tem sido pouco frequentado há muitos anos e ela acha que as pessoas se interessarão bastante em pagar para vê-lo.

— Tudo isso parece muito natural — disse Poirot.

— Tudo *parece* natural — disse a sra. Oliver, com obstinação —; mas não é. Eu lhe garanto, Monsieur Poirot, que há alguma coisa *errada*.

Poirot olhou para a sra. Oliver e ela lhe devolveu o olhar.

— Como a senhora justificou a minha presença aqui? O fato de ter me chamado? — perguntou Poirot.

— Foi fácil — disse a sra. Oliver. — Sua função será entregar os prêmios aos vencedores da Caçada ao Assassino. Todos estão excitadíssimos. Eu disse que o conhecia e provavelmente conseguiria convencê-lo a vir, e tinha certeza de que seu nome seria uma grande atração, como, é claro, será mesmo — acrescentou jeitosamente a sra. Oliver.

— E a sugestão foi aceita, sem objeções?

— Como já disse, todos ficaram entusiasmados.

A sra. Oliver não achou necessário mencionar que um ou dois dos mais jovens perguntaram "Quem é Hercule Poirot?"

— Todos? Ninguém se opôs à ideia?

A sra. Oliver sacudiu a cabeça.

— É uma pena — disse Hercule Poirot.

— Quer dizer que isto poderia ter fornecido uma pista?

— Um criminoso em potencial dificilmente receberia bem a minha presença.

— Suponho que ache tudo imaginação minha — disse a sra. Oliver em tom entristecido. — Devo admitir que, até começar a lhe falar, eu não tinha percebido como eram poucos os elementos de que dispunha para me apoiar.

— Calma — disse Poirot gentilmente. — Estou curioso e interessado. Por onde vamos começar?

A sra. Oliver deu uma olhada em seu relógio.

— Está na hora do chá. Vamos voltar para casa e então poderá conhecer a todos.

Ela seguiu por um caminho diferente daquele pelo qual viera Poirot. Este parecia levar à direção oposta.

— Por aqui passaremos pelo abrigo dos barcos — explicou a sra. Oliver.

Enquanto falava, apareceu o abrigo. Inclinava-se por sobre o rio e era uma edificação tosca e pitoresca.

— Ali estará o Cadáver — disse a sra. Oliver. — O Cadáver da Caçada ao Assassino, quero dizer.

E quem será assassinado?

— Ah, uma moça "hippie" que é, na realidade, a primeira mulher iugoslava de um jovem Cientista Atômico — explicou a sra. Oliver, com loquacidade.

Poirot piscou um olho.

— Tudo indica, claro, que o Cientista Atômico a matou — mas, naturalmente, não pode ser assim tão simples...

— Claro que não — foi *a senhora* quem inventou...

A sra. Oliver recebeu o elogio com um aceno de mão.

— Na verdade — disse —, a moça foi morta pelo dono da propriedade e o motivo é realmente bem engenhoso, não creio que muitos vão adivinhar, embora haja um indício bastante claro na quinta pista.

Poirot deixou de lado as sutilezas do enredo da sra. Oliver e fez uma pergunta de ordem prática:

— Como vai arranjar um cadáver conveniente?

— Uma menina, uma das ajudantes da festa — disse a sra. Oliver. — Ia ser Sally Legge, mas agora querem que se fantasie, usando um turbante, para ler a mão. Então será uma menina, uma Guia chamada Marlene Tucker. Ela é meio boboca e vive fungando — acrescentou, à guisa de explicação. — Tudo é muito simples, um lenço de camponesa, uma mochila, e ela só precisa se estirar no chão e passar a corda em redor do pescoço, quando ouvir alguém se aproximando. Vai ser meio chato para a garota ficar ali, dentro do abrigo dos barcos, até ser encontrada, mas dei um jeito para ela receber uma porção de revistas em quadrinhos, na realidade há uma pista sobre o assassino rabiscada numa delas — de maneira que tudo terá um sentido.

— Sua habilidade me deixa fascinado! A senhora pensa em tudo!

— Não é difícil *pensar* em coisas — disse a sra. Oliver. — A dificuldade é que se pensa demais e tudo fica complicado em excesso, então é preciso suprimir algumas dessas coisas e, isto sim, é angustiante. Agora vamos subir por aqui.

Começaram a subir por um caminho íngreme, em ziguezague, que os levou outra vez para perto do rio, em um nível mais alto. Ao virarem por entre as árvores, saíram num espaço encimado por um pequeno templo com colunas brancas. A uma certa distância, olhando para a edificação com a testa franzida, estava um rapaz com calças de flanela meio surradas e uma camisa verde um tanto berrante. Ele se virou na direção dos dois.

— O sr. Michael Weyman, Monsieur Hercule Poirot — disse a sra. Oliver.

O jovem recebeu a apresentação com um aceno displicente de cabeça.

— Incrível — disse, em tom aborrecido —, os lugares em que as pessoas *põem* as coisas! Esta coisa aqui, por exemplo. Construída há apenas um ano; em seu gênero, é bonita, e acompanha o estilo da casa. Mas *por que* aqui? Essas coisas devem ser vistas "numa elevação", como dizem os manuais, cercadas de grama, com narcisos, etc. Mas aqui está este pequeno trambolho fincado no meio das árvores, não é visto de lugar nenhum, seria preciso derrubar cerca de vinte árvores para se poder enxergá-lo do rio.

— Talvez não houvesse nenhum outro lugar — disse a sra. Oliver.

Michael Weyman riu, com desprezo.

— No alto daquela encosta gramada, ao lado da casa — aquele era o local mais adequado. Mas não, esses ricaços são todos iguais, não têm o menor senso artístico. Dá vontade de possuir uma "Extravagância", como ele a chama, então encomenda uma. Passa os olhos em redor para ver onde a colocará. E então, imagino, a ventania derruba um grande carvalho, deixando no lugar uma brecha feia. "Ora, vamos cobrir aquilo colocando ali uma Extravagância", diz o idiota. Esses sujeitos ricos e urbanos só têm ideias desse tipo, cobrir alguma coisa! Não sei como ele não pôs canteiros de gerânios vermelhos e calceolárias em redor da casa! Não deviam permitir que um homem desses fosse proprietário de um lugar assim.

Sua voz estava cheia de raiva.

— Esse rapaz — observou Poirot para si mesmo — certamente não gosta de Sir George Stubbs.

— Os alicerces são de concreto — disse Weyman. — E há terra solta por baixo; então cederam. E a construção rachou até em cima — e em breve se tornará perigosa... É melhor derrubar tudo e reconstruir no alto da encosta, perto da casa. É meu conselho, mas o velho idiota teimoso nem quer ouvir falar nisso.

— E o pavilhão de tênis? — perguntou a sra. Oliver.

O rapaz ficou ainda mais aborrecido.

— Ele quer uma espécie de pagode chinês — disse, com um rosnado. Dragões, por favor! Só porque Lady Stubbs gosta de usar chapéus chineses de coli. Para que ser arquiteto? Todos os que querem construir alguma coisa decentemente não têm dinheiro e os que têm dinheiro só querem esses horrores!

— Tem a minha simpatia — disse Poirot gravemente.

— George Stubbs — disse o arquiteto com desdém. — Quem ele pensa que é? Se enfiou em algum posto confortável no Almirantado, lá nas seguras profundezas de Gales durante a guerra e deixou a barba crescer para sugerir que andou em serviço ativo naval, em trabalho de escolta, ou sei lá como chamam. Podre de rico; completamente podre!

— Bom, vocês arquitetos precisam encontrar alguém com dinheiro para gastar, senão ficam desempregados — observou a sra. Oliver, com bastante sensatez. Ela seguiu em direção à casa e Poirot e o desanimado arquiteto prepararam-se para acompanhá-la.

— Esses ricaços — disse o último com amargura — não conseguem entender regras básicas. — Deu um chute final na torta Extravagância. Os alicerces estão podres, tudo está podre.

— Está dizendo uma coisa profunda — disse Poirot. — Sim, é profundo.

O caminho que seguiam saiu das árvores e a casa apareceu, branca e bela, diante deles, com sua moldura de árvores escuras por trás.

— É realmente bela, sim — disse Poirot.

— Ele quer construir ali um salão de bilhar — disse o sr. Weyman maldosamente.

Num declive, diante deles, uma senhora miúda, de idade bem avançada, podava com uma tesoura de jardinagem um maciço de arbustos. Ela subiu para cumprimentá-los, arquejando um pouco.

— Tudo abandonado há anos — disse. — E é tão difícil, hoje em dia, conseguir um homem que entenda de arbustos. Esta encosta deveria ficar como um tapete colorido em março e abril, mas este ano foi uma decepção, toda a vegetação morta deveria ter sido cortada no outono passado.

— Monsieur Hercule Poirot, sra. Folliat — disse a sra. Oliver.

A velha senhora ficou radiante.

— Então este é o grande Monsieur Poirot! É muita gentileza vir para nos ajudar amanhã. Esta inteligente senhora inventou um problema complicadíssimo; vai ser uma grande novidade.

Poirot ficou um pouquinho embaraçado com as maneiras amáveis da pequena senhora. Ela devia, pensou, ser sua anfitriã.

Ele disse cortesmente:

— A sra. Oliver é uma velha amiga minha. Fiquei encantado de aceitar seu convite. Este é realmente um lugar lindo e a mansão é soberba e nobre.

A sra. Folliat fez um sinal de assentimento com a cabeça, convencionalmente.

— Sim. Foi construída pelo bisavô do meu marido, em 1790. Havia ali, antes, uma casa no estilo isabelino. Ficou em mau estado e foi destruída por um incêndio, por volta de 1700. Nossa família viveu aqui desde 1598.

Sua voz era calma, em tom convencional. Poirot observou-a com atenção. Viu uma figura muito pequena e compacta, vestida com um traje surrado de *tweed*. O traço seu que mais despertava a atenção eram os olhos claros, de um azul de porcelana. O cabelo grisalho estava bem preso numa rede. Embora, obviamente, não cuidasse muito da aparência, ela tinha aquele ar indefinível de ser uma pessoa importante, e que é tão difícil de explicar.

Enquanto caminhavam juntos em direção à casa, Poirot disse, com hesitação:

— Deve ser difícil para a senhora ver estranhos morando aqui.

Por um momento houve uma pausa, antes da sra. Folliat responder. Sua voz era clara e precisa, curiosamente vazia de emoção:

— Há tantas coisas difíceis, sr. Poirot — disse ela.

3

FOI A SRA. FOLLIAT quem os conduziu até o interior da casa e Poirot a seguiu. Era uma casa graciosa, muito bem proporcionada. A sra. Folliat passou por uma porta à esquerda e entraram numa pequena sala de estar, mobiliada com elegância, e em seguida numa sala de visitas espaçosa, cheia de pessoas que, segundo parecia, falavam todas de uma vez.

— George — disse a sra. Folliat —, este é Monsieur Poirot, que teve a gentileza de vir ajudar-nos. Sir George Stubbs.

Sir George, que falava em voz alta, virou-se. Era um homem alto, com um rosto vermelho e um tanto imponente, e uma barba meio inesperada. Esta fazia lembrar, de maneira algo desconcertante, um ator que não tivesse ainda decidido se seu papel seria o de um proprietário rural ou de um "diamante bruto" das colônias. Certamente a barba não tinha nada a ver com a Marinha, apesar das observações de Michael Weyman. Suas maneiras e a voz eram joviais, mas os olhos dele eram pequenos e astutos, de um azul-claro particularmente penetrante.

Cumprimentou Poirot cordialmente.

— Estamos tão satisfeitos por sua amiga, a sra. Oliver, ter conseguido convencê-lo a vir — disse. — Foi uma ideia genial. O senhor será uma grande atração.

Olhou em torno, com ar meio vago.

— Hattie? — repetiu o nome, com um tom um pouco mais forte. — Hattie!

Lady Stubbs estava recostada numa grande poltrona, um pouco afastada dos demais. Parecia não prestar a menor atenção ao que se passava em torno dela. Sorria para a própria mão, pousada no braço da cadeira. Virava-a da esquerda para a direita, fazendo uma grande esmeralda solitária, em seu terceiro dedo, receber a luz até as profundezas do seu verde.

Ela ergueu os olhos de uma maneira assustada, algo infantil, e disse:

— Muito prazer.

Poirot fez uma curvatura sobre a mão dela.

Sir George continuou a fazer as apresentações.

— A sra. Masterton.

A sra. Masterton era uma mulher algo monumental, que fez lembrar ligeiramente a Poirot um sabujo. Tinha um maxilar grande, saliente, e olhos grandes, tristes, meio injetados.

Curvou-se e recomeçou seu discurso, com uma voz grossa que, outra vez, fez Poirot pensar no tom do ladrido do sabujo.

— Essa briga tola a respeito do pavilhão de chá tem de acabar, Jim — disse ela, em tom enfático. — Elas têm de pôr a cabeça no lugar. Não podemos ver o espetáculo inteiro fracassar por causa das disputas tolas das mulheres locais.

— Ah, claro — disse o homem a quem ela se dirigia.

— Capitão Warburton — disse Sir George.

O capitão Warburton, que usava um paletó esporte xadrez e tinha uma aparência ligeiramente cavalar, exibiu uma porção de dentes brancos, num sorriso meio de lobo, e depois continuou sua conversa.

— Não se preocupe. Resolverei tudo — disse. — Vou falar com elas com severidade. E a tenda para a leitura da sorte? Vai ficar no espaço ao lado das magnólias? Ou na extremidade do gramado, junto aos rododendros?

Sir George continuou a fazer as apresentações

— Sr. e sra. Legge.

Um rapaz alto, com o rosto todo descascando devido a queimaduras de sol, deu um sorriso amável. Sua mulher, uma atraente ruiva sardenta, fez um sinal amistoso com a cabeça e depois mergulhou numa discussão com a sra. Masterton, sua voz aguda de soprano formando uma espécie de dueto com o grosso ladrido da outra.

— ... perto das magnólias *não*... um congestionamento...

— ... queremos espalhar tudo — mas se houver uma fila...

— ... muito mais fresco. Quero dizer, com o sol batendo diretamente na casa...

— ... e a "brincadeira do coco" não pode ser perto demais da casa, os meninos jogam com uma força...

— E esta — disse Sir George — é a srta. Brewis, que nos governa a todos.

A srta. Brewis estava sentada por trás da grande bandeja de prata de chá.

Era uma mulher com aspecto sóbrio e eficiente, de quarenta e tantos anos, com atitude enérgica, mas amável.

— Como vai, sr. Poirot? — disse ela. — Espero que sua viagem não tenha sido muito desconfortável. Os trens algumas vezes são terríveis esta época do ano. Vou servir-lhe um pouco de chá, se me permite. Leite? Açúcar?

— Muito pouco leite, Mademoiselle, e quatro torrões de açúcar. — Ele acrescentou, enquanto a srta. Brewis ia atendendo ao seu pedido — Vejo que estão todos em grande atividade.

— Sim, realmente. Sempre há tanta coisa para resolver, de última hora. E, hoje em dia, as pessoas nos deixam na mão da maneira mais incrível. Faltam barracas, tendas, cadeiras e talheres. É preciso ficar em *cima* deles. Passei quase a manhã inteira ao telefone.

— E aquelas cavilhas, Amanda? E os tacos extras para o golfe de salão?

— Está tudo ajeitado, Sir George. O sr. Benson, do clube de golfe, foi gentilíssimo.

Ela entregou a Poirot sua xícara de chá.

— Quer um sanduíche, Monsieur Poirot? Estes são de tomate e aqueles de patê. Mas talvez — disse a srta. Brewis pensando nos quatro torrões de açúcar — prefira um bolo de creme.

Poirot preferia um bolo de creme e se serviu de um, particularmente doce e mole.

Depois, equilibrando-o cuidadosamente no prato, foi sentar-se perto da anfitriã. Ela ainda estava fazendo a luz brincar sobre a joia que tinha em sua mão e ergueu os olhos para ele, com um sorriso deslumbrado de criança.

— Veja — disse —, é bonito, não?

Ele a observara com cuidado. Ela usava um grande chapéu em estilo cule, de palha num tom fúcsia forte. Sob o chapéu, seu rosto tinha um reflexo rosado na superfície da pele de um branco cadavérico. Estava muito maquilada, de maneira exótica, pouco inglesa. A pele de um branco fosco e cinéreo, os lábios ciclame vivo, sombra de olhos aplicada abundantemente. O cabelo aparecia sob o chapéu, negro e macio como um boné de veludo. Seu rosto tinha uma beleza lânguida, nada inglesa. Ela era uma criatura do sol tropical, casualmente presa, por assim dizer, numa sala de visitas da Inglaterra. Mas foram seus olhos que surpreenderam Poirot. Tinham uma mirada de criança, quase vazia.

Ela fizera a pergunta num tom confidencialmente infantil, e foi como se falasse a uma criança que Poirot respondeu.

— É um anel muito lindo — disse.

Ela fez um ar satisfeito.

— George me deu de presente ontem — disse, baixando a voz, como se estivesse partilhando com ele um segredo. — Ele me dá uma porção de coisas. É muito generoso.

Poirot olhou outra vez para o anel e para a mão estendida sobre o braço da poltrona. As unhas eram muito longas, com um esmalte quase marrom.

Lembrou-se de uma citação: "Eles não mourejam e nem fiam..."

Dificilmente conseguiria imaginar Lady Stubbs mourejando ou fiando. E, entretanto, também não a descreveria como uma florzinha do campo. Ela era um produto muito mais artificial.

— Sua sala é muito bonita, Madame — disse, olhando em torno, com ar apreciativo.

— Acho que sim — disse Lady Stubbs, vagamente.

A atenção dela ainda estava fixada em seu anel; com a cabeça inclinada para um lado, observava a verde chama no coração da pedra, enquanto sua mão se movia.

Disse, num sussurro confidencial: — Vê? Está piscando para mim.

Estourou de rir e Poirot ficou repentinamente chocado. Era um riso alto, descontrolado.

Do outro lado da sala, Sir George disse: — Hattie.

A voz dele era bastante gentil, mas tinha uma leve advertência. Lady Stubbs parou de rir.

Poirot disse, de maneira convencional:

— Devonshire é um belo condado. Não acha?

— É agradável durante o dia — disse Lady Stubbs. — Quando não está chovendo — acrescentou, tristemente. — Mas não há nenhuma boate.

— Ah, sim. A senhora gosta de boates?

— Claro — disse Lady Stubbs, com ardor.

— E por que gosta tanto de boates?

— Por causa da música, da dança. E uso minhas roupas mais bonitas, pulseiras e anéis. Todas as outras mulheres têm belas roupas e joias, mas não tão lindas como as minhas.

Sorriu com imensa satisfação. Poirot sentiu um leve aperto de piedade.

— Tudo isso diverte muito a senhora?

— Sim. Gosto de cassinos, também. Por que será que não existe nenhum cassino na Inglaterra?

— Já pensei nisso várias vezes — disse Poirot com um suspiro. — Acho que não estaria de acordo com o caráter inglês.

Ela olhou para ele, sem compreender. Depois, inclinou-se ligeiramente em sua direção.

— Ganhei sessenta mil francos em Monte Carlo certa vez. Apostei no vinte e sete e deu.

— Deve ter sido muito excitante, Madame.

— Ah, *foi sim*. George me dá dinheiro para jogar, mas em geral eu perco.

Tinha um ar desconsolado.

— Que pena.

— Ora, não tem muita importância. George é riquíssimo. É ótimo ser rico, não acha?

— Sem dúvida — disse Poirot gentilmente.

—Talvez, se eu não fosse rica, parecesse com Amanda. — Seu olhar dirigiu-se para a srta. Brewis junto à mesa de chá, e a estudou imparcialmente. — Ela é muito feia, não acha?

A srta. Brewis ergueu os olhos naquele momento em direção ao local onde estavam sentados. Lady Stubbs não falara alto, mas Poirot ficou imaginando se Amanda Brewis escutara.

Ao afastar a vista, seus olhos encontraram os do capitão Warburton. O olhar do capitão era irônico e divertido.

Poirot fez um esforço para mudar de assunto.

— A senhora ficou muito ocupada, preparando a festa? — perguntou.

Hattie Stubbs abanou a cabeça.

— Ah, não. Acho tudo muito chato, muito bobo. Temos criados e jardineiros. Por que não fazem os preparativos?

— Ah, querida — quem falou foi a sra. Folliat. Ela viera sentar-se no sofá próximo. — Você foi educada com essas ideias lá em suas propriedades nas ilhas. Mas a vida não é mais assim na Inglaterra atual. Eu gostaria que fosse. — Ela suspirou. — Hoje em dia a pessoa precisa fazer quase tudo sozinha.

Lady Stubbs encolheu os ombros.

— Acho isso uma bobagem. De que adianta ser rico, se é preciso fazer tudo sozinho?

— Algumas pessoas acham divertido — disse a sra. Folliat sorrindo para a outra. — Eu, por exemplo. Nem tudo, mas algumas coisas. Aprecio fazer sozinha o trabalho de jardinagem e gosto de preparar uma festa como essa de amanhã.

— E será uma festa? — perguntou Lady Stubbs em tom esperançoso.

— Sim, a mesma coisa que uma festa — com uma porção de gente.

— Será como em Ascot? Com grandes chapéus e todo mundo muito chique?

— Ah, um pouco diferente de Ascot — disse a sra. Folliat. Ela acrescentou com gentileza — Mas deve tentar apreciar as coisas do campo, Hattie. Você devia ter nos ajudado esta manhã, em vez de ficar na cama e só levantar na hora do chá.

— Tive uma dor de cabeça — disse Hattie mal-humorada. Depois seu estado de espírito mudou e ela sorriu afetuosamente para a sra. Folliat.

— Mas estarei boa amanhã. E vou fazer tudo que me disser.

— É muita bondade sua, querida.

— Tenho um vestido novo para usar. Chegou esta manhã. Suba comigo para dar uma olhada.

A sra. Folliat hesitou. Lady Stubbs ergueu-se e disse com insistência:

— Ah, venha. Por favor. É um vestido lindo. Venha *já*!

— Sim, está bem. — A sra. Folliat fez um meio sorriso e levantou-se.

Enquanto ela saía da sala, uma pequena figura seguindo a de Hattie, alta, Poirot viu-lhe o rosto e ficou muito espantado com a expressão de cansaço que substituíra o ar sorridente. Era como se, relaxada e desarmada por um momento, ela não se preocupasse mais em manter a máscara social. Entretanto, não parecia ser apenas isso. Talvez estivesse sofrendo de alguma doença sobre a qual, como fazem muitas mulheres, ela não falava nunca. Não era o tipo de pessoa, ele imaginou, que gostasse de inspirar piedade ou compaixão.

O capitão Warburton sentou-se pesadamente na cadeira que Hattie acabara de desocupar. Ele também olhou para a porta através da qual as duas mulheres acabaram de passar, mas não foi da mulher mais velha que falou. Em vez disso, disse em voz arrastada com um leve sorriso:

— Bela criatura, não? — Observou com o canto do olho a saída de Sir George através de uma porta envidraçada, com a sra. Masterton e a sra. Oliver a reboque. — É verdade que suga o sangue do velho George Stubbs. Quer sempre mais alguma coisa! Joias, casacos de pele e assim por diante. Não sei se ele percebe que ela é meio debiloide. Provavelmente acha que não tem a menor importância. Afinal de contas, esses ricaços não andam procurando companhia intelectual.

— Qual a nacionalidade dela? — perguntou Poirot com curiosidade.

— Sempre achei que parece sul-americana. Mas acredito que vem das Índias Ocidentais. Uma daquelas ilhas com açúcar e rum, coisas assim. Uma daquelas antigas famílias de lá — uma crioula, não quero dizer uma mestiça. Parece que há muitos casamentos consanguíneos naquelas ilhas. Daí a deficiência mental dela.

A jovem sra. Legge se aproximou.

— Ouça, Jim — disse ela —, você precisa ficar junto de mim. Aquela tenda tem de ser colocada onde todos decidiram — na extremidade do gramado, de costas para os rododendros. É o único lugar possível.

— A *Madama* Masterton não pensa assim.

— Bom, então você precisa ir convencê-la.

Ele fez um sorriso malicioso.

— A sra. Masterton é minha patroa.

— Wilfred Masterton é seu patrão. O político é ele.

— Parece que sim, mas deveria ser ela. É ela quem usa as calças ali. Ah, pode ter certeza.

Sir George entrou outra vez pela porta envidraçada.

— Ah, você está aqui, Sally — disse ele. — Precisamos de você. Nunca pensei que todo mundo fosse ficar assim frenético, sem saber quem vai passar manteiga nos pãezinhos, rifar um bolo, ou por que a barraca de plantas está no lugar prometido para a de suéteres de tricô. Onde está Amy Folliat? Ela sabe tratar com essas pessoas; é a única capaz disso.

— Ela subiu com a Hattie.

— Ah, é?...

Sir George olhou em torno de maneira vagamente desamparada, e a srta. Brewis pulou do lugar onde estava numerando uns bilhetes e disse:

—Vou buscá-la para o senhor, *Sir* George.

— Obrigado, Amanda.

A srta. Brewis saiu da sala.

— Preciso conseguir um pouco mais de arame farpado — murmurou Sir George.

— Para a festa?

— Não, não. Para colocar na parte da propriedade que se limita com Hoodown Park lá nos bosques. A cerca velha apodreceu e é por ali que eles passam.

— Quem passa?

— Os invasores! — exclamou Sir George.

Sally Legge disse, em tom de brincadeira:

—Você parece Betsy Trotwood fazendo campanha contra os jumentos.

— Betsy Trotwood? Quem é? — perguntou Sir George com simplicidade.

— Dickens.

— Ah, Dickens. Há muito tempo eu li *Pickunck Papers*. Nada mau. Nada mau mesmo; fiquei admirado. Mas, falando sério, os invasores são um perigo, desde que abriram essa maluquice desse Albergue da Juventude. Surgem aqui por todos os lados, usando as camisas mais incríveis, um rapaz hoje de manhã estava com uma toda coberta de tartarugas rastejantes e coisas desse tipo, me fazem até pensar que bebi demais ou coisa parecida. A metade nem sabe falar inglês, trocam tudo... — Ele fez uma imitação:

— "Ó, Ô, per favore, sinhor mismo, diz mim, caminho este para trremm?" Respondo que não, berro com eles, mando voltarem para onde vieram, mas quase o tempo todo ficam piscando os olhos, sem entender nada. E as moças dão risadinhas. São de todas as nacionalidades: italianos, iugoslavos, holandeses, finlandeses, até esquimós, vai ver que tem! E imagino que uma porção de comunistas — ele concluiu, em tom grave.

— Ora, George, não comece a falar de comunistas — disse a sra. Legge. — Eu vou ajudar você com as frenéticas mulheres.

Ela o conduziu através da porta envidraçada e falou, com a cabeça voltada para trás:

—Venha, Jim. Venha se sacrificar por uma causa nobre.

— Está bem, mas quero explicar a Monsieur Poirot o que é a Caçada ao Assassino, já que ele vai entregar os prêmios.

—Você pode fazer isso daqui a pouco.

— Esperarei aqui — disse Poirot, em tom gentil.

Fez-se um silêncio e Alec Legge espichou-se para fora da poltrona, suspirando.

— Essas mulheres! — disse. — Parecem um enxame de abelhas.

Virou a cabeça para olhar através da porta envidraçada.

— E por que tudo isso? Por causa de uma festa boba, que não tem a menor importância para ninguém.

— Mas é claro — observou Poirot — que tem importância para algumas pessoas.

— Por que será que as pessoas não põem a cabeça no lugar? Pensam o quê, afinal? Imagine só toda a confusa situação mundial. Será que não percebem que os habitantes do globo terrestre estão se suicidando?

Poirot considerou com acerto que a pergunta não exigia resposta. Simplesmente balançou a cabeça, manifestando dúvida.

— Se não conseguirmos fazer alguma coisa, antes que seja tarde demais... — desabafou Alec Legge. Seu rosto tomou uma expressão irada. — Ah, sim — disse. — Sei o que está pensando. Que sou nervoso, neurótico e tudo mais. Como aqueles malditos médicos. Que me aconselham repouso e praia. Tudo bem, Sally e eu viemos para cá e alugamos um chalé por três meses, segui todas as prescrições. Pesquei, tomei banho de mar, dei longas caminhadas, tomei banho de sol...

— Ah, notei que tomou banhos de sol — disse Poirot, cortesmente.

— Por causa disso? — Alec passou a mão no rosto queimado.
— É o resultado de um belo verão inglês, que acontece uma vez na vida. Mas de que *adiantou*? É inútil fugir, a verdade precisa ser encarada.

— Sim, é sempre inútil fugir.

— E estar numa atmosfera rural como esta só faz a pessoa perceber as coisas com maior clareza. Sem mencionar a apatia das pessoas neste país. Até Sally, que é bastante inteligente, não escapa disso. Por que se preocupar? É o que ela pergunta. Isto me deixa maluco. Por que se preocupar?

— Por uma simples curiosidade, por que se preocupar?

— Meu Deus, até o senhor?

— Não se trata de nenhum conselho. Apenas queria saber sua resposta.

— Não está vendo? Alguém precisa tomar uma providência!

— E esse alguém é você?

— Não, não sou eu pessoalmente. Não se pode ser *pessoal* numa época como a nossa.

— Ora, mas não vejo por que não. Mesmo "numa época como a nossa", para empregar suas palavras, somos ainda pessoas.

— Mas não devíamos ser! Em períodos de tensão, quando tudo é questão de vida ou de morte, não se pode pensar nos próprios e insignificantes males e preocupações.

— Eu lhe garanto que está completamente equivocado. Na última guerra, durante um feroz ataque aéreo, fiquei muito menos preocupado com a ideia da morte do que com a dor num calo no dedo mínimo do meu pé. Na ocasião, fiquei surpreso com isto. "Pense", disse a mim mesmo, "que você agora pode morrer a qualquer momento." Mas ainda estava consciente do meu calo. Na verdade, estava aborrecido por ter de sofrer tanto quanto sentia medo da morte. Devido à possibilidade de morrer, cada pequena questão pessoal em minha vida ganhava uma importância maior. Vi uma mulher jogada ao chão depois de um acidente, com uma perna quebrada, cair em prantos porque viu que sua meia tinha um fio corrido.

— Isto prova como as mulheres são umas loucas.

— Isto mostra como as *pessoas* são. Talvez tenha sido a absorção na vida privada de cada um que permitiu à raça humana sobreviver.

Alec Legge deu uma risada cheia de desdém.

— Algumas vezes — disse —, acho uma pena que tenha sobrevivido.

— Isto é — insistiu Poirot — uma forma de humildade. E a humildade é uma bela coisa. Havia um *slogan* escrito nas paredes das vias ferroviárias de vocês durante a guerra — eu me lembro. "Tudo depende de *você*." Foi criado, eu acho, por um eminente sacerdote, — mas, em minha opinião, era uma doutrina perigosa e indesejável. Porque não é *verdadeira*. Nem tudo depende de, digamos da sra. Blank, de Little-Brank-on-Marsh. E se ela for levada a acreditar que sim, isto não fará bem ao seu caráter. Enquanto ela pensa no papel que poderá desempenhar nas questões mundiais, o bebê puxa a chaleira.

— O senhor é um tanto antiquado em seus pontos de vista, eu acho. Diga então qual seria o seu próprio *slogan*.

— Não preciso inventar nenhum. Existe um antigo, neste país, que me satisfaz perfeitamente.

— Qual é?

— Confie em Deus e continue trabalhando.

— Ora, ora — Alec Legge parecia estar se divertindo. — Surpreendente, vindo do senhor Sabe o que eu gostaria de ver realizado neste país?

— Alguma coisa, sem dúvida, violenta e desagradável — disse Poirot sorrindo.

Alec Legge continuou sério.

— Gostaria de ver todos os idiotas expulsos — imediatamente! Não vamos deixar que proliferem. Se por uma geração só os inteligentes tivessem permissão de procriar, pense qual seria o resultado.

— Um aumento muito grande de pacientes nos hospitais psiquiátricos, eu acho — disse Poirot secamente. — São necessárias raízes e flores numa planta, sr. Legge. Por maiores e mais belas que sejam as flores, se as raízes forem destruídas não haverá mais flores. — Ele acrescentou, num tom trivial: — Consideraria Lady Stubbs uma candidata para a câmara de gás?

— Sim, decerto. Que bem pode fazer uma mulher como aquela? Que contribuição ofereceu jamais à sociedade? Será que já teve alguma ideia na cabeça, além de roupas, casacos de pele e joias? Como falei, que bem ela pode fazer?

— Você e eu — disse Poirot brandamente — somos sem dúvida muito mais inteligentes do que Lady Stubbs. Mas — ele abanou a cabeça tristemente —, temo que não sejamos, nem de longe, tão ornamentais.

— Ornamental... — Alec começou a falar com um resmungo feroz, mas foi interrompido pela volta da sra. Oliver e do capitão Warburton, que cruzaram a porta envidraçada.

4

— O SENHOR DEVE VIR ver as pistas e os objetos da Caçada ao Assassino, Monsieur Poirot — disse a sra. Oliver sem fôlego.

Poirot ergueu-se e seguiu-os obedientemente.

Os três atravessaram o vestíbulo e entraram numa pequena sala mobiliada com a simplicidade de um escritório comercial.

— As armas mortíferas estão à sua esquerda — disse o capitão Warburton, fazendo um aceno de mão em direção a uma pequena mesa de jogo forrada de feltro. Sobre ela estavam enfileirados uma pequena pistola, um pedaço de cano de chumbo com uma sinistra mancha cor de ferrugem, uma garrafa azul com o rótulo Veneno, um pedaço de cordão de estender roupa e uma seringa hipodérmica.

— Essas são as armas — explicou a sra. Oliver — e esses são os Suspeitos.

Ela lhe entregou um cartão impresso, que ele leu com interesse.

SUSPEITOS

Estelle Glynne — uma bela e misteriosa jovem, hóspede do
Coronel Brunt — proprietário rural, cuja filha
Joan — é casada com
Peter Gaye — um jovem Cientista Atômico.
Srta. Willing — uma governanta.
Quiett — um mordomo.
Maya Stavisky — uma "hippie".
Esteban Loyola — um hóspede não convidado.

Poirot piscou os olhos e fitou a sra. Oliver, com um ar de muda incompreensão.

— Um magnífico elenco de personagens — disse ele cortesmente. — Mas, permita-me perguntar, Madame, o que faz o Competidor?

— Espie do outro lado do cartão — disse o capitão Warburton.

Poirot assim fez.

Estava impresso do outro lado:

Nome e endereço ....

Solução:
Nome do assassino: ....
Arma: ....
Motivo: ....
Ocasião e lugar: ....
Razões para chegar às suas conclusões: ....
....

— Todos os que entram recebem um desses — explicou sumariamente o capitão Warburton. — E também um caderno de notas e um lápis para copiar as pistas. Haverá seis pistas. A pessoa passa de uma para outra, como na Caçada ao Tesouro, e as armas estão escondidas em lugares suspeitos. Aqui está a primeira pista. Uma fotografia. Todos começam com uma dessas.

Poirot tomou-lhe a pequena imagem e estudou-a com a testa franzida. Depois virou-a de cabeça para baixo. Ainda parecia perplexo. Warburton riu.

— Um truque fotográfico engenhoso, não é? — disse ele em tom complacente. — Mas é muito simples quando se sabe de que se trata.

Poirot, que não sabia, sentiu um aborrecimento crescente.

— Um tipo de janela gradeada? — sugeriu.

— Parece um pouquinho, reconheço. Mas não, é um pedaço de rede de tênis.

— Ah. — Poirot olhou outra vez para a foto. — Sim, como o senhor falou é bastante óbvio quando alguém diz o que é.

— Tudo depende sempre da maneira como se observa as coisas — disse Warburton rindo.

— Esta é uma verdade muito profunda.

— A segunda pista será encontrada numa caixa, debaixo do centro da rede de tênis. Na caixa estão esta garrafa de veneno vazia, aqui, e uma rolha solta.

— O caso é que — disse a sra. Oliver depressa — a garrafa tem um bocal de atarraxar, de modo que a verdadeira pista é a *rolha*.

— Sei, Madame, que a senhora é sempre muito engenhosa, mas não entendo...

A sra. Oliver interrompeu suas palavras.

— Naturalmente há uma história — disse ela. — Como num seriado de revista. Uma sinopse. — Virou-se para o capitão Warburton. — Tem aí os folhetos?

— Ainda não chegaram da gráfica.

— Mas eles *prometeram*!

— Eu sei. Eu sei. Todos prometem sempre. Estarão prontos esta tarde, às seis horas. Vou apanhá-los de carro.

— Ah, ótimo.

A sra. Oliver suspirou profundamente e virou-se para Poirot.

— Bom, vou ter de lhe contar, então. Só que não sou muito boa contadora de histórias. Quero dizer, quando escrevo consigo dizer as coisas de maneira perfeitamente clara, mas quando falo tudo parece sempre terrivelmente confuso; e é por esta razão que jamais discuto com ninguém os meus enredos. Aprendi a não fazer isso porque, se o fizer, as pessoas simplesmente olham para mim, confusas, e dizem, ahn, sim, mas não percebo o que aconteceu e, com certeza, não vai ser possível escrever um livro contando isso. É tão desanimador. E *não* é verdade, porque quando escrevo funciona!

A sra. Oliver fez uma pausa para tomar fôlego e depois prosseguiu:

— Bom, é assim. Peter Gaye, o jovem Cientista Atômico, é suspeito de estar a soldo dos comunistas e ele é casado com aquela moça, Joan Blunt, e sua primeira mulher morreu, mas isto não é verdade, e ela reaparece, porque é uma agente secreta, ou talvez não seja, quero dizer, talvez ela *seja* realmente uma "hippie", e a mulher está tendo um caso de amor, e aquele homem, Loyola, aparece para encontrar Maya, ou então para espioná-la, e há uma carta de chantagem, que tanto pode ser do dono da casa, como do mordomo, e o revólver desapareceu e, como não se sabe para quem é a carta de chantagem, e a seringa hipodérmica caiu durante o jantar e depois disso sumiu...

A sra. Oliver parou completamente e ficou analisando a reação de Poirot.

— Eu sei — disse ela com simpatia. — Parece uma confusão total, mas não é, na realidade; não em minha cabeça, e, quando ler o folheto com a sinopse, descobrirá que é tudo muito claro.

— De qualquer maneira — concluiu ela — a história realmente não tem importância, não é mesmo? Quero dizer, não para o *senhor*. Tudo que tem de fazer é entregar os prêmios, prêmios excelentes, o primeiro é uma cigarreira em forma de revólver, e dizer como foi maravilhosa a atuação do vencedor.

Poirot pensou consigo mesmo que o vencedor seria realmente alguém bastante inteligente. Na verdade, ele duvidava muito que alguém fosse acertar. Todo o enredo e a ação da Caçada ao Assassino lhe pareciam envoltos num nevoeiro impenetrável.

— Bom — disse o capitão Warburton alegremente dando uma espiada em seu relógio —, é melhor eu ir até a gráfica pegar o material.

A sra. Oliver deu um gemido.

— Se não tiverem aprontado...

— Ah, aprontaram sim. Eu telefonei. Até logo.

Saiu da sala.

A sra. Oliver imediatamente agarrou o braço de Poirot e perguntou num sussurro rouco:

— E então?

— Então — o quê?
— Descobriu alguma coisa? Ou suspeitou de alguém?
Poirot respondeu, com um tom de branda repreensão:
— Todos me parecem completamente normais.
— Normais?
— Bem, talvez não seja essa a palavra certa. Lady Stubbs, como disse, é evidentemente subnormal, e o sr. Legge parece um tanto anormal.
— Ora, ele está bem — disse a sra. Oliver com impaciência. — Teve um esgotamento nervoso.

Poirot não questionou a formulação um tanto duvidosa da frase, mas aceitou-a em seu sentido figurado.

— Todos me parecem estar num previsível estado de agitação nervosa, grande excitação, cansaço generalizado e forte irritação, característicos de preparativos para essa forma de divertimento. Se a senhora pudesse pelo menos indicar...

— Psiu! — a sra. Oliver agarrou-lhe novamente o braço. — Alguém se aproxima.

Parecia mesmo um melodrama barato, pensou Poirot, sentindo crescer sua própria irritação.

O rosto simpático e amável da srta. Brewis apareceu à porta.

— Ah, está aí, Monsieur Poirot. Andei procurando-o para lhe mostrar seu quarto.

Subiram juntos a escada e seguiram pelo corredor até chegar a um quarto arejado, com vista para o rio.

— Há um banheiro aí defronte. Sir George fala em instalar mais banheiros, mas para isto teria de diminuir lamentavelmente as dimensões dos quartos. Espero que ache tudo bem confortável.

— Sem dúvida. — Poirot deu uma olhada apreciativa pela pequena estante, o abajur e a caixa com o rótulo "Biscoitos" colocada sobre a mesinha de cabeceira. — Parece que, nesta casa, tudo é maravilhosamente organizado. Devo parabenizá-la, ou à minha encantadora anfitriã?

— O tempo de Lady Stubbs é todo ocupado em se tornar encantadora — disse a srta. Brewis com um tom de voz ligeiramente azedo.

— Uma jovem muito decorativa — comentou Poirot. — É isso mesmo.

— Mas, sob outros pontos de vista, ela não é, talvez... — Ele parou de falar. — *Pardon*. Estou sendo indiscreto. Digo coisas que não devia talvez mencionar.

A srta. Brewis olhou para ele fixamente. Disse com secura:

— Lady Stubbs sabe perfeitamente bem o que está fazendo. Além de ser, como o senhor disse, uma jovem muito decorativa, ela também é muito esperta.

Virou-se e saiu do quarto, antes das sobrancelhas de Poirot se erguerem de espanto. Então era isso que pensava a eficiente srta. Brewis? Ou simplesmente falara assim por alguma razão muito pessoal? E por que fizera tal declaração a ele, um recém-chegado? Talvez justamente por *ser* um recém-chegado? E também por se tratar de um estrangeiro. Como Hercule Poirot descobrira por experiência própria, muitos ingleses consideravam sem importância as coisas ditas a estrangeiros.

Ele franziu a testa, perplexo, olhando distraído para a porta pela qual saíra a srta. Brewis. Depois caminhou até a janela e ficou espiando para fora. Viu então Lady Stubbs sair de casa com a sra. Folliat e as duas ficarem por uns minutos paradas, conversando, ao lado do grande pé de magnólia. Depois a sra. Folliat fez um aceno de despedida com a cabeça, pegou sua cesta e luvas de jardinagem e se afastou pela estrada pavimentada. Lady Stubbs ficou a observá-la por um momento e então, distraidamente, arrancou uma flor de magnólia, cheirou-a e começou lentamente a descer o caminho que atravessava as árvores e ia até o rio. Olhou para trás apenas uma vez, antes de sumir de vista. Silenciosamente, Michael Weyman apareceu por trás do pé de magnólia, ficou um momento parado e, de maneira vacilante, seguiu a alta e esguia figura pelo meio das árvores.

Um jovem bem-apessoado e dinâmico, pensou Poirot. Com uma personalidade mais atraente, sem dúvida, do que a de Sir George Stubbs...

Mas, se fosse o caso, e daí? Essas situações se repetem eternamente pela vida afora. Marido rico, feio, de meia-idade, mulher jovem e bela, com ou sem desenvolvimento mental suficiente, rapaz atraente e sensível. O que havia nisso capaz de fazer a sra. Oliver proferir um chamado peremptório pelo telefone? A sra. Oliver, sem dúvida, tinha muita imaginação, mas...

— Mas, afinal de contas — murmurou Hercule Poirot para si mesmo —, não sou um consultor para questões de adultério, ou adultério incipiente.

Será que havia alguma verdade naquela extraordinária ideia da sra. Oliver de que havia alguma coisa errada? A sra. Oliver era uma mulher estranhamente confusa, e ele não conseguia entender como ela conseguia, de alguma maneira, produzir histórias policiais coerentes. Mas, com toda sua confusão mental, ela muitas vezes o surpreendia pela sua repentina percepção da verdade.

— O tempo é pouco, pouco, — ele murmurou para si próprio. — Será que existe mesmo alguma coisa errada aqui, como a sra. Oliver acredita? Estou inclinado a pensar que sim. Mas o quê? Quem poderia me esclarecer? Preciso saber mais, muito mais, a respeito das pessoas desta casa. Quem poderia dar maiores informações?

Depois de refletir um momento ele pegou seu chapéu (Poirot jamais se arriscava a sair na friagem da noite com a cabeça descoberta) e, após correr para fora do quarto, desceu às pressas as escadas. Ouviu, a distância, o ladrido ditatorial da sra. Masterton com sua voz grossa. Mais próxima, a voz de Sir George se elevava com uma entonação amorosa.

— Maldito seja esse véu. Eu desejava ter você em meu harém, Sally. Amanhã eu quero saber uma porção de coisas sobre meu destino. O que você vai me dizer?

Houve uma rápida e confusa luta e a voz de Sally Legge disse, sem fôlego:

— George, você não deve fazer isso.

Poirot ergueu as sobrancelhas e se esgueirou por uma porta lateral, convenientemente próxima. Ele partiu em alta velocidade por uma estradinha traseira que, como seu sentido de orientação o capacitava a prever, ia dar, em algum ponto, na estrada dianteira.

Sua manobra foi bem-sucedida e assim ele pôde, um pouco arquejante, surgir ao lado da sra. Folliat e tomar-lhe das mãos, de maneira galante, a cesta de jardinagem.

— Com licença, Madame.

— Ah, obrigada, Monsieur Poirot, é muita gentileza sua. Mas não está pesada.

— Permita-me carregá-la para a senhora até sua casa. Mora perto?

— Na verdade, moro no chalé do porteiro, próximo ao portão principal. Muito generosamente, Sir George o aluga a mim.

A casa do porteiro junto do portão principal de sua antiga mansão... Como ela realmente se sentia a respeito disso, Poirot ficou imaginando. Seu autodomínio era tão absoluto que ele não conseguia, de maneira alguma, adivinhar os sentimentos dela. Mudou de assunto observando:

— Lady Stubbs é muito mais jovem do que seu marido, não é?

— Vinte e três anos mais jovem.

— Ela é muito atraente fisicamente.

A sra. Folliat disse com tranquilidade:

— Hattie é uma excelente menina.

Não foi a resposta que ele esperava. A sra. Folliat prosseguiu:

— Eu a conheço muito bem, sabe. Durante algum tempo ela ficou sob meus cuidados.

— Não sabia disso.

— Como poderia saber? Foi, de certo modo, uma história triste. A família dela tinha propriedades, canaviais, nas Índias Ocidentais. Devido a um terremoto, a casa se incendiou e seus pais, irmãos e irmãs morreram todos. Hattie se encontrava num convento, em Paris, e ficou, de repente, sem qualquer parente próximo. Os testamenteiros consideraram aconselhável que ela tivesse uma dama de companhia e fosse apresentada à sociedade, pois tinha passado algum tempo no exterior. Aceitei sua tutela.

A sra. Folliat acrescentou com um sorriso seco:

— Posso melhorar de aparência quando é preciso e, naturalmente, tinha as relações necessárias, de fato, o falecido governador era nosso amigo íntimo.

— Naturalmente, Madame, eu compreendo tudo isso.

— Aquilo me convinha muito, eu atravessava uma fase difícil. Meu marido morrera pouco antes de começar a guerra. Meu filho mais velho, que estava na Marinha, desapareceu no mar quando seu navio naufragou. Meu filho mais novo, que se encontrava no Quênia, voltou, uniu-se às tropas e perdeu a vida na Itália. Isto significava que era preciso pagar uma porção de impostos de transmissão, e a casa teve de ser posta à venda. Por outro lado, eu estava muito deprimida e fiquei satisfeita com a distração de ter alguém jovem para cuidar e acompanhar em viagens. Passei a sentir muito afeto por Hattie, ainda mais porque, talvez, logo percebi que ela era, digamos, incapaz de tomar conta de si própria plenamente. Entenda, Monsieur Poirot, Hattie *não* é deficiente mental, mas é o que as pessoas do povo descrevem como "simples". Ela é facilmente enganada, dócil demais, completamente aberta à sugestão. Acho, aliás, que foi uma bênção não haver dinheiro nenhum. Se ela fosse uma herdeira, sua posição poderia ter sido ainda mais difícil. Atraía os homens e, tendo uma natureza afetuosa, era facilmente atraída e influenciada — sem dúvida era preciso tornar conta dela. Quando, depois da liquidação final da propriedade de seus pais, descobriu-se que a plantação estava destruída e havia mais dívidas do que bens, eu só podia ficar grata com o fato de um homem como Sir George Stubbs ter-se apaixonado por ela e querer casar.

— Possivelmente, sim, foi uma solução.

— Sir George — disse a sra. Folliat —, embora seja um homem que venceu por seus próprios esforços e, vamos falar francamente, uma pessoa completamente vulgar, é generoso e fundamentalmente decente, além de ser extremamente rico. Não creio que ele fosse jamais esperar companhia intelectual de uma mulher, o que também seria conveniente. Hattie é tudo que ele deseja. Exibe roupas e joias com perfeição, é afetuosa e solícita, e é completamente feliz com ele. Confesso que estou muito satisfeita por ser assim, pois admito que a influenciei deliberadamente para aceitá-lo. Se não desse certo — a voz dela vacilou um pouco —, seria minha culpa tê-la impelido a se casar com um homem mais velho tantos anos. Como lhe disse, Hattie é completamente sugestionável. Qualquer pessoa com quem estiver na ocasião pode dominá-la.

— Segundo penso — disse Poirot em tom de aprovação —, a senhora fez um acerto muito prudente para ela. Não sou como os ingleses, romântico. Para arranjar um bom casamento, é preciso levar em conta mais do que o romance.

Ele acrescentou:

— Quanto a este lugar, a mansão Nasse, é belíssimo. Como se diz, não existe.

— Como Nasse tinha de ser vendida — disse a sra. Folliat com um leve tremor na voz — estou satisfeita de que *Sir* George fosse o comprador. A propriedade foi requisitada pelo Exército durante a guerra e, em seguida, poderia ter sido comprada e transformada em pensão ou escola, com os quartos divididos e cheios de tabiques, distorcendo-lhe a beleza. Nossos vizinhos, os Fletchers, de Hoodown, tiveram de vender sua propriedade e ela é agora um Albergue da Juventude. Causa alegria ver os jovens se divertirem e, felizmente, Hoodown é um estilo vitoriano tardio, sem grande mérito arquitetônico, de modo que as alterações não têm a menor importância. Infelizmente, alguns dos jovens invadem nosso terreno. Isto aborrece muito *Sir* George. É verdade que eles eventualmente têm danificado os raros arbustos, fazendo entalhes, cortam caminho por aqui, tentando chegar mais depressa à barca para atravessar o rio.

Estavam agora diante do portão principal. A casa do porteiro, pequena construção de um andar apenas, ficava um pouco recuada da estrada, e tinha à frente um pequeno jardim cercado por uma grade.

Com um agradecimento, a sra. Folliat tornou a tomar das mãos de Poirot a sua cesta.

— Sempre gostei muito da casinha — disse ela, olhando a edificação com ternura. — Merdle, nosso jardineiro-chefe durante trinta anos, morava aqui. Prefiro muito mais isto aqui ao chalé principal, embora este tenha sido ampliado e modernizado por *Sir* George. Tinha de ser; o jardineiro-chefe é agora um rapaz muito jovem, com uma mulher moça; e essas moças precisam ter ferro elétrico, fogão moderno, televisão, coisas assim. A época é para isso... — Ela suspirou. — Não existe mais ninguém, na propriedade, dos velhos tempos, todos são caras novas.

— Estou satisfeito, Madame — disse Poirot —, de ver que a senhora pelo menos encontrou um refúgio.

— Conhece aquela frase de Spencer? "Dormir após mourejar, achar um porto após enfrentar mares tempestuosos, a paz após a guerra, a morte após a vida, são grandes alegrias..."

Ela fez uma pausa e disse sem mudar em nada a anotação: — É um mundo mau, Monsieur Poirot. E há pessoas muito más no mundo. O senhor sabe, provavelmente, tão bem quanto eu. Não digo isto às pessoas mais jovens, poderia desanimá-las, mas é verdade... Sim, é um mundo muito mau...

Ela lhe acenou levemente com a cabeça e depois virou-se e seguiu para a casinha. Poirot ficou imóvel, olhando para a porta fechada.

5

DISPOSTO A FAZER uma exploração, Poirot atravessou os portões principais e desceu a íngreme e serpenteante estrada que iria dar, pouco depois, num pequeno cais. Um grande sino com uma corrente tinha acima um letreiro: "Toque para chamar a balsa". Havia vários barcos ancorados no cais. Um homem muito velho, com olhos remelosos, que estava encostado num poste de amarração, arrastou-se em direção a Poirot.

— *Sinhô* quer balsa, sir?

— Obrigado, não. Vim da mansão Nasse e estou dando uma pequena caminhada.

— Ah, lá em Nasse é que *tá?* Quando era menino trabalhei lá. Mas meu costume já era *tomá* conta dos barcos. O velho proprietário *Sir* Folliat era muito confuso com os *barco*. Queria *viajá* com tudo que era tempo. Agora o *majó,* filho dele, não gostava de *navegá.* Só ligava pra os *cavalo.* Um *vapô* bonito foi pegar os *animá.* Ele gostava disso e de uma boa bebidinha. Ah, a *mulhé* dele se viu mal com isso. Sinhô já viu ela com certeza. Vive é na casinha do porteiro.

— Sim, eu acabo de deixá-la ali.

— Ela é Folliat também, segunda prima de uma parte da família lá de Tiverton. Tem muito jeito pra *tratá* de jardim, foi ela que plantou aqueles *arbusto florido* todos. Mesmo quando isso aqui foi ocupado na guerra e os dois rapazes foram *lutá,* ela tomava conta dos *arbusto* e não deixava pisarem neles.

— Foi duro para ela os dois filhos morrerem.

— Ah, ela teve vida dura, se teve, de todo lado. Problema com marido e problema com rapazes também. Não com o sr. Henry. Ele era bom rapaz, *milhó* possível, puxou ao avô, gostava de *navegá* e entrou pra Marinha *purquê* tinha de *sê,* mas o sr. James deu muito trabalho. Dívidas e mulheres que não paravam, e além disso ele tinha gênio ruim. Tem gente que nasce assim e não dá pra *consertá*. Mas a guerra foi bom *pra* ele, como se diz: deu sua chance. Ah! Gente que não tem jeito na paz, morre na guerra com valentia.

— Então, agora — disse Poirot — não há mais Folliats em Nasse.

O velho interrompeu bruscamente sua conversa.

— É como o *sinhô* diz.

Poirot olhou-o com curiosidade.

— Em vez disso, lá está Sir George Stubbs. O que pensam dele por aqui?

— A gente compreende — disse o velho — que ele é rico e poderoso.

O tom de sua voz era seco, com um toque divertido.

— E sua esposa?

— Ah, é dama fina de Londres, isso é. Não dá *pra tratá* de jardim, que nada! Dizem por aí também que ela tem um parafuso de menos, aqui.

Bateu na própria têmpora num gesto significativo.

— Que ela fala com simpatia, ah, isso fala, e trata bem as pessoas. Já *tão* aqui tem mais de ano. Compraram o lugar e ajeitaram pra *ficá* tudo novo. Lembro como se fosse ontem quando eles chegaram. Foi de noite, foi sim, depois da pior tempestade que eu já vi. Caiu árvore por tudo quanto foi lado, uma no meio da estrada a gente teve de *serrá* depressa, *pra* abrir caminho *pro* carro. E o carvalho grande, quando caiu, derrubou uma porção de outras árvores, fez uma misturada danada.

— Ah, sim, isso foi onde fica agora a Extravagância.

O velho se virou e cuspiu com desagrado.

— Se chama Extravagância e é extravagância mesmo; essas *tolice* da moda. Tinha extravagância nenhuma no tempo dos

Folliats. A Extravagância foi ideia lá da Lady. Não *demorô* três semanas, depois que chegaram, *pra começá* a construir aquilo, tenho certeza de que ela *falô pro* Sir George *mandá fazê*. Negócio maluco assim metido no meio das *árvore,* feito templo pagão. Bonita casa de verão agora, com jeito rústico depois que botaram vitrais. Aquilo eu acho bom.

Poirot sorriu de leve.

— As senhoras de Londres — disse — devem ter seus caprichos. É triste que o tempo dos Folliats tenha passado.

— Acredite nisso não. — O velho deu uma risadinha roufenha. — Sempre vai *tê* Folliats em Nasse.

— Mas a casa pertence a Sir George Stubbs.

— Talvez — mais ainda tem Folliats aqui. Ah! Esses Folliats são muito especiais e espertos!

— Que quer dizer com isso?

O velho lançou-lhe uma olhada astuta, enviesada.

— A sra. Folliat *tá* vivendo na casinha, *né?* — perguntou.

— Sim — disse Poirot, devagar. — A sra. Folliat está vivendo na casinha e o mundo é muito mau e todas as pessoas do mundo são muito más.

O velho olhou para ele.

— Ah — disse. — O *sinhô* entendeu as coisas lá, parece.

Tornou a se afastar, se arrastando.

— Mas o que consegui? — perguntou Poirot a si mesmo, irritado, enquanto subia devagar a encosta, voltando para casa.

II

Hercule Poirot ajeitou-se meticulosamente, aplicando uma brilhantina perfumada nos bigodes, retorcendo-os até parecerem duas vírgulas ferozes. Afastou-se para se observar melhor ao espelho, e ficou satisfeito com o que viu.

O som de um gongo ressoou pela casa e ele desceu as escadas.

O mordomo, tendo terminado de executar um toque extremamente artístico, *crescendo, forte, diminuendo, rallentando,* acabava de repor o bastão do gongo no gancho. Seu rosto sombrio e melancólico demonstrava prazer.

Poirot pensou: *"Uma carta, fazendo chantagem, da governanta, talvez do mordomo..."* O jeito desse mordomo era de quem escrevia mesmo cartas fazendo chantagem. Poirot ficou imaginando se a sra. Oliver inspirava-se na vida real para criar seus personagens.

A srta. Brewis atravessou o vestíbulo com um deselegante vestido de gaze florida e ele alcançou-a, perguntando:

— Há uma governanta aqui?

— Ah, não, Monsieur Poirot. Hoje em dia não se conta mais com esses requintes, a não ser, é claro, em grandes instituições. Não, a governanta sou eu — mais governanta do que secretária, às vezes, nesta casa.

Ela deu uma risada curta, azeda.

— Então a srta. é a governanta? — Poirot observou-a pensativamente.

Ele não conseguia imaginar a srta. Brewis escrevendo uma carta para fazer chantagem. Agora, uma carta anônima, isto seria diferente. Ele encontrara cartas anônimas escritas por mulheres não muito diferentes da sra. Brewis — mulheres sólidas, em quem se podia confiar, totalmente isentas de suspeitas, por parte daqueles que as cercavam.

— Como é o nome do mordomo? — ele perguntou.

— Henden. — A srta. Brewis lançou-lhe um olhar meio espantado.

Poirot recompôs-se e explicou depressa:

— Pergunto porque tive a impressão de o haver visto antes.

— É muito provável — disse a srta. Brewis. — Esse pessoal parece que não para num lugar por mais de quatro meses. Logo terão experimentado todos os empregos disponíveis na Inglaterra. Afinal, poucas pessoas podem ter mordomos e cozinheiros hoje em dia.

Entraram na sala de visitas onde Sir George, com uma aparência um tanto artificial, vestindo um *dinner-jacket,* servia *sherry.* A sra. Oliver, com um traje de cetim cinza-chumbo, parecia uma belonave obsoleta e a cabeça de Lady Stubbs, com seus macios cabelos negros, inclinava-se para estudar a última moda lançada pelo *Vogue.*

Alec e Sally Legge jantavam, como também Jim Warburton:

—Teremos de enfrentar uma noite trabalhosa — ele advertiu a todos. — Não dá para jogar *bridge.* Mãos à obra todo mundo. Há uma porção de cartazes para fazer e o letreiro para a leitura da sorte. Que nome vamos escolher? Madame Zuleika? Esmeralda? Ou Romany Leigh, a Rainha das Ciganas?

— Um toque oriental — disse Sally. — Todos os moradores de distritos agrícolas detestam ciganas. Zuleika está bom. Eu trouxe minha caixa de pintura e acho que Michael poderia fazer para nós uma serpente bem sofisticada, para enfeitar o letreiro.

— Que tal Cleópatra em vez de Zuleika?

Henden apareceu à porta.

— O jantar está servido, *my lady.*

Entraram. Havia velas na mesa comprida. A sala estava cheia de sombras.

Warburton e Alec Legge sentaram-se à esquerda e à direita da anfitriã. Poirot ficou entre a sra. Oliver e srta. Brewis. Esta conversava rapidamente com todos sobre novos detalhes dos preparativos para o dia seguinte.

A sra. Oliver ficou mergulhada em profunda meditação e pouco falou.

Quando, afinal, rompeu seu silêncio, foi com uma explicação algo contraditória.

— Não se preocupe comigo — disse ela a Poirot. — Estou só pensando se não esqueci alguma coisa.

Sir George riu, delicado.

— O erro fatal, heim? — comentou.

— Exatamente — disse a sra. Oliver. — Sempre tem algum. Algumas vezes só percebemos quando o livro já está no prelo. E então, que *angústia!* — O rosto dela refletia sua emoção. Suspirou.

— O mais curioso é que a maioria das pessoas jamais chega a notar. Digo a mim mesma: "Mas claro que o cozinheiro seria levado a observar que duas costeletas não foram comidas".

Mas ninguém mais chega a prestar atenção nisso.

— A senhora me fascina. — Michael Weyman curvou-se por sobre a mesa. — O Mistério da Segunda Costeleta. Por favor, não explique nunca. Vou ficar pensando nisso enquanto estiver no banho.

A sra. Oliver deu-lhe um sorriso abstrato e voltou a mergulhar em suas preocupações.

Lady Stubbs também estava silenciosa. De vez em quando bocejava. Warburton, Alec Legge e a srta. Brewis conversavam entre si, em torno dela.

Ao saírem da sala de jantar, Lady Stubbs parou junto à escadaria.

— Vou dormir — anunciou. — Estou com muito sono.

— Ah, Lady Stubbs — exclamou a srta. Brewis —, há tanta coisa para fazer. Estávamos contando com a senhora para nos ajudar.

— Sim, eu sei — disse Lady Stubbs. — Mas vou dormir.

Falava com a satisfação de uma criancinha.

Virou a cabeça em direção a Sir George, que saía da sala de jantar.

— Estou cansada, George. Vou dormir. Você não se importa, não é?

Ele se aproximou e lhe deu afetuosas palmadinhas no ombro.

— Vá dormir para ficar bem bonita, Hattie. Bem repousada para amanhã.

Ele a beijou de leve e ela subiu as escadas acenando e exclamando:

— Boa-noite para todos.

Sir George sorriu para ela. A srta. Brewis deu um suspiro fundo e se afastou bruscamente.

— Vamos, todos — disse ela com alegria forçada, que não soava verdadeira. — Temos de *trabalhar*.

Pouco depois todos iniciavam suas tarefas. Como a srta. Brewis não podia estar em toda parte ao mesmo tempo, logo houve alguns desertores. Michael Weyman ornamentou um cartaz com uma magnífica serpente feroz e escreveu: "Madame Zuleika lerá sua sorte". Depois desapareceu discretamente. Alec Legge cumpriu alguns indefinidos deveres e depois saiu dizendo que ia dar uma olhada num dos *stands* e não voltou. As mulheres, como costumam fazer, trabalharam de maneira enérgica e consciente. Hercule Poirot seguiu o exemplo da anfitriã e foi cedo para a cama.

III

Na manhã seguinte, Poirot desceu para o desjejum às nove e meia. O café da manhã foi servido à moda de antes da guerra. Uma porção de pratos quentes sobre um aquecedor elétrico. Sir George comeu um *breakfast* inglês completo incluindo ovos fritos, *bacon* e rim.

A sra. Oliver e a srta. Brewis a mesma coisa, com ligeiras variações. Michael Weyman encheu seu prato com presunto frio. Só Lady Stubbs ignorou a variedade de carnes e mordiscava torradinhas, bebendo alguns goles de café. Ela usava um grande chapéu rosa-pálido, um tanto bizarro para aquela hora.

A correspondência acabara de ser entregue. Com uma enorme pilha de cartas diante de si, a srta. Brewis ocupava-se em dividi-la em pilhas menores. Todas as que eram dirigidas a Sir George e tinham o carimbo "Pessoal" ia entregando diretamente a ele. As outras, ela própria abria e separava em categorias.

Lady Stubbs recebeu três cartas. Abriu duas que eram contas e as atirou para um lado. Depois abriu a terceira carta e disse de repente, em voz alta:

— Ah!

A exclamação foi de tanta surpresa que todas as cabeças se viraram em sua direção.

— É de Etienne — disse ela. — Meu primo Etienne. Está vindo para cá num iate.

— Deixe-me ver, Hattie. — Sir George estendeu-lhe a mão. Ela lhe passou a carta por baixo da mesa. Ele alisou a folha e leu.

— Quem é Etienne de Sousa? Você disse que é um primo?

— Acho que sim. Um primo em segundo grau. Não me lembro dele muito bem — quase nada. Ele era...

— Sim, querida?

Ela encolheu os ombros.

— Ah, não tem importância. Foi há muito tempo. Eu era uma garotinha.

— Acho que você não pode mesmo lembrar muito bem dele. Mas devemos recebê-lo bem, naturalmente — disse Sir George com cordialidade. — De certo modo, é uma pena que haja a festa hoje, mas nós o convidaremos para jantar. Quem sabe não poderemos hospedá-lo por um ou dois dias e lhe mostrar a região?

Sir George cumpria seu papel de gentil proprietário de terras.

Lady Stubbs nada disse. Ficou olhando para dentro da xícara de café.

A conversa sobre o inevitável assunto da festa generalizou-se. Só Poirot permanecia afastado, observando e esguia figura exótica à cabeceira da mesa. Ele estava imaginando o que se passaria em sua mente. Exatamente naquele momento, os olhos dela se ergueram e lançaram uma rápida mirada ao longo da mesa, bem na direção onde ele se encontrava. Era um olhar tão astuto e lúcido que ele ficou espantado. Quando os olhos de ambos se encontraram, a expressão esperta desapareceu, voltou o vazio. Mas houvera aquele olhar, frio, calculista, vigilante...

Ou será que ele imaginara tudo aquilo? De qualquer maneira, não é verdade que pessoas com uma leve deficiência mental frequentemente têm uma espécie de astúcia sonsa, espontânea, capaz de surpreender até quem melhor as conhece?

Ele pensou consigo que Lady Stubbs era certamente um enigma. As pessoas pareciam ter ideias diametralmente opostas com relação a ela. A srta. Brewis insinuara que Lady Stubbs sabia muito bem o que fazia. Entretanto, a sra. Oliver pensava, sem sombra de dúvida, que ela era débil mental, e a sra. Folliat que a conhecera por muito tempo, e intimamente, tinha dito que precisava de cuidados e vigilância.

A srta. Brewis provavelmente tinha má vontade. Não gostava de Lady Stubbs por causa de sua indolência e de seu distanciamento. Poirot ficou imaginando se a srta. Brewis fora secretária de Sir George antes do casamento dele. Neste caso, poderia ressentir-se com o início de um novo sistema.

O próprio Poirot teria concordado plenamente com a sra. Folliat e com a sra. Oliver, até esta manhã. E, afinal, poderia ele realmente confiar apenas numa leve impressão?

Lady Stubbs levantou-se abruptamente da mesa.

— Estou com dor de cabeça — disse. — Vou deitar-me em meu quarto.

Sir George pulou da cadeira cheio de ansiedade.

— Queridinha, você está bem, não está?

— Sim, acho que estou.

— Tome uma aspirina, Lady Stubbs — disse a srta. Brewis com secura. — Tem alguma ou quer que lhe leve uma?

— Tenho, sim.

Ela se encaminhou para a porta. Ao sair, deixou cair seu lenço, que apertava entre os dedos. Poirot, a passos lentos, pegou-o, sem ser notado.

Sir George, que se preparava para seguir sua mulher, foi detido pela srta. Brewis.

— Quanto ao estacionamento dos automóveis esta tarde, Sir George. Vou agora dar instruções a Mitchell. Acha que o melhor plano seria, como disse?...

Poirot saiu da sala e não ouviu mais nada.

Ele encontrou sua anfitriã nas escadas.

— Madame, deixou cair isto.

Entregou o lenço com uma curvatura.

Ela o pegou sem maior interesse.

— Ah, foi? Obrigada.

— Lamento muito, Madame, que esteja adoentada. Especialmente porque o seu primo está chegando.

Ela respondeu depressa, de maneira quase violenta.

— Não quero ver Etienne. Não gosto dele. Ele é mau. Sempre foi mau. Tenho medo dele. Faz maldades.

A porta da sala de jantar se abriu e Sir George atravessou o vestíbulo e começou a subir as escadas.

— Hattie, querida, vou botar você na cama.

Subiram juntos as escadas, ele abraçando-a ternamente, com o rosto preocupado e absorto.

Poirot seguiu-os com o olhar e depois virou-se e encontrou a srta. Brewis caminhando rápido, a segurar alguns papéis.

— A dor de cabeça de Lady Stubbs — começou ele.

— Dor de cabeça coisa nenhuma — disse a srta. Brewis com raiva e sumiu em seu escritório fechando a porta.

Poirot suspirou e saiu para o terraço, passando pela porta principal. A sra. Masterton chegara num pequeno automóvel e comandava a armação de uma barraca grande, onde seria servido chá. As ordens eram dadas em fortes ladridos.

Ela se virou para cumprimentar Poirot.

— Como dão trabalho essas coisas — comentou. — E sempre colocam tudo nos lugares errados. Não, Rogers! Mais para a esquerda, para a *esquerda* não para a direita! Que acha do tempo, Monsieur Poirot? Está me parecendo meio incerto. Se chover, está tudo perdido. E o verão foi tão bonito este ano, coisa rara. Onde está Sir George? Quero falar com ele sobre o estacionamento dos automóveis.

— Sua esposa teve uma dor de cabeça e subiu para se deitar.

— De tarde estará boa — disse a sra. Masterton confidencialmente. — Ela adora festas, sabe. Vai usar um traje maravilhoso e ficará tão satisfeita como uma criança. Quer fazer o favor de ir buscar para mim alguns daqueles pregos de madeira que estão ali?

Quero marcar os lugares dos números do golfe de salão.

Poirot, forçado a trabalhar, acabou sendo utilizado sem piedade pela sra. Masterton, que o tratava como útil aprendiz. Nos intervalos da dura labuta, ela condescendia em conversar com ele.

— Pelo que vejo, precisamos fazer tudo. É o jeito... A propósito, o senhor é amigo dos Eliots, não?

Poirot, após sua longa permanência na Inglaterra, compreendeu que isto era uma indicação de reconhecimento social. A sra. Masterton, na realidade, estava dizendo: "Embora estrangeiro, sei que o senhor faz parte do nosso meio". Ela continuou a conversar com intimidade.

— É ótimo ver Nasse reviver de novo. Tínhamos todos tanto medo de que se transformasse em hotel. Sabe como é hoje em dia; viajamos de automóvel pelo país inteiro e em cada canto encontramos letreiros: "Pensão", ou "Hotel Particular", ou "Hotel Classe A". Em todas as casas onde a gente se hospedou, em menina — ou nas quais comparecemos a bailes. É uma tristeza. Sim, estou muito alegre com o caso de Nasse e a coitada da nossa querida Amy Folliat também, é claro. Ela teve uma vida tão dura — mas nunca se queixa, sabe? Sir George fez maravilhas por Nasse — e *não* vulgarizou o lugar. Não sei se é resultado da influência de Amy Folliat — ou seu próprio natural bom gosto. Ele *tem* um excelente gosto, pode ter certeza. O que surpreende muito num homem como ele.

— Pelo que me parece, ele não faz parte da nobreza que possui terras, não é mesmo?

— Ele não é nem sequer realmente Sir George — acho que o batizaram assim. Suspeito que tirou a ideia do Circo Sanger de Lord George. É muito engraçado. Claro que nunca deixamos transparecer nada. Devemos permitir aos ricos os seus pequenos esnobismos, não acha? E o mais curioso é que, apesar de suas origens, George Stubbs seria muito bem aceito em qualquer parte. Ele é um tipo atávico. A figura ideal do senhor rural do século dezoito. Acho que tem puro sangue. Aposto que o pai era um *gentleman* e a mãe uma garçonete de bar.

A sra. Masterton interrompeu suas palavras para gritar a um jardineiro.

— Aí junto dos rododendros, não. Você tem de deixar espaço para o boliche mais à direita. À *direita,* não à esquerda!

Ela prosseguiu: "É incrível como não conseguem distinguir a esquerda da direita. Aquela Brewis é eficiente. Mas não gosta da coitadinha da Hattie. Algumas vezes, olha para ela como se estivesse com vontade de assassiná-la. Uma porção dessas boas secretárias está apaixonada pelo patrão. Agora, de onde acha que saiu Jim Warburton? É uma bobagem o jeito como ele insiste em chamar a si próprio de "capitão". Nunca foi sequer soldado regular e jamais chegou perto de um alemão. É preciso aceitar o que se pode conseguir hoje em dia — e ele trabalha um bocado — mas sinto que existe nele alguma coisa um tanto suspeita. Ah, aqui estão os Legges.

Sally Legge, de calças compridas e com um suéter amarelo, disse alegremente:

—Viemos ajudar.

— Há muita coisa para fazer — berrou a sra. Masterton. — Vejamos...

Poirot, aproveitando-se de sua distração, escapuliu. Ao se aproximar da casa, pelo lado do terraço, presenciou um novo drama.

Duas moças de *shorts,* com blusas coloridas, tinham saído do bosque e estavam olhando para a casa, com ar de dúvida. Uma delas, segundo lhe pareceu, era a jovem italiana a quem dera carona na véspera. Da janela do quarto de dormir de Lady Stubbs, Sir George se dirigiu a elas em tom irritado.

— Estão invadindo a propriedade — gritou.

— Favor? — disse a moça com o lenço de cabeça verde.

—Vocês não podem passar por aqui. Isto é uma propriedade particular.

A outra moça, que usava um lenço de cabeça azul vivo, disse alegremente:

— Favor? Cais de Nassecombe... — Ela pronunciou a palavra com cuidado. — Este é caminho?

—Vocês estão invadindo a propriedade — berrou Sir George.
— Favor?
— *Estão invadindo!* Isto aqui não é caminho. Vocês têm de voltar. VOLTAR! Pelo caminho por onde vieram.

Elas ficaram olhando fixamente, enquanto ele gesticulava. Depois, consultaram uma à outra, numa torrente de palavras estrangeiras. Afinal, em tom de dúvida, a do lenço azul disse:

—Volta? Para albergue?
— Sim, é isso. E vão pela estrada, *estrada,* daquele lado.

Elas se retiraram relutantes. Sir George passou a mão pela testa e olhou para Poirot, lá embaixo.

— Passo meu tempo todo mandando essa gente embora — disse. — Antes, entravam pelo portão lá de cima. Mandei fechá-lo a cadeado. Agora, atravessam os bosques, após pular a cerca. Acham que assim podem chegar ao rio e ao cais mais depressa. Bom, claro que podem, muito mais depressa. Mas não têm o direito de fazer isso, nunca tiveram. E são praticamente todos estrangeiros, não entendem o que se fala e simplesmente ficam papagueando em holandês, ou coisa parecida.

— Uma dessas duas é alemã e a outra italiana, eu acho; vi quando a italiana vinha da estação, ontem.

— Falam tudo que é língua... Não é, Hattie? O quê? — Ele sumiu dentro do quarto. Poirot virou-se e encontrou a sra. Oliver e uma garota de catorze anos, desenvolvida, com um uniforme de guia. As duas estavam bem atrás dele.

— Esta é Marlene — disse a sra. Oliver.

Marlene deu uma fungadela ruidosa, em resposta à apresentação. Poirot curvou-se respeitosamente.

— Ela é a Vítima — disse a sra. Oliver.

Marlene deu uma risadinha.

— Eu sou o Horrível Cadáver — disse. — Mas não vou estar coberta de sangue. — Sua entonação manifestava desapontamento.

— Não?

— Não. Só estrangulada com um cordão e nada mais. Eu *adoraria* ser apunhalada e pincelada com tinta vermelha.

— O capitão Warburton achou que podia ficar realista demais — disse a sra. Oliver.

— Num assassinato, eu acho, é preciso haver sangue — disse Marlene tristemente. Ela olhou para Poirot com atento interesse. — O senhor já viu uma porção de assassinos, não é? *Ela* me disse.

Ele verificou, alarmado, que a sra. Oliver os estava deixando sós.

— Algum tarado sexual? — perguntou Marlene avidamente.

— Ah, claro que não.

— Gosto de tarados sexuais — disse Marlene com gosto. — De ler a respeito deles, quero dizer.

— Provavelmente não gostaria de encontrar nenhum.

— Ah, sei não. Sabe? Acho que temos um tarado sexual por aqui. Vovô viu um cadáver no bosque, certa vez. Ele ficou com medo e fugiu, e depois voltou, mas o corpo tinha desaparecido. Era de mulher. Mas, como o vô é amalucado, claro que ninguém liga para o que ele diz.

Poirot conseguiu escapar e, tornando à casa por uma estrada tortuosa, refugiou-se em seu quarto. Sentia necessidade de repousar.

6

O ALMOÇO FOI SERVIDO CEDO, uma refeição ligeira à base do *buffet* de frios. Às duas e meia, uma estrela de cinema não muito conhecida deveria abrir a festa. O tempo, depois de ameaçar chuva, acabou melhorando. Às três horas, o festejo estava no auge da animação. Grande número de pessoas pagava a entrada de meia coroa e os carros se enfileiravam de um dos lados da longa estrada pavimentada. Estudantes do Albergue da Juventude chegavam aos bandos, conversando em voz alta em idiomas estrangeiros. Confirmando a previsão da sra. Masterton, Lady Stubbs emergiu de seu quarto pouco antes das duas e meia, com um vestido ciclame e um enorme chapéu de palha negra no estilo cule. Usava grande quantidade de diamantes.

A srta. Brewis murmurou sardonicamente:

— Ela pensa que isto é a Real Cerimônia de Encerramento de Ascot, com certeza.

Mas Poirot cumprimentou-a com solenidade.

— Está trajando uma bela criação, Madame.

— É bonito, não? — disse Hattie, feliz. — Usei-o em Ascot.

A estrela de cinema quase desconhecida estava chegando e Hattie foi cumprimentá-la.

Poirot retirou-se para os fundos. Ficou vagueando por ali desconsoladamente, tudo parecia correr da maneira normal em festas ao ar livre. Havia a "brincadeira do coco", presidida por Sir George com toda sua cordialidade, pistas de boliche e outros jogos. Vários *stands* exibiam produtos locais, como frutas, verduras, geleias e bolos — e outras apresentavam "objetos-fantasia". Eram feitas rifas de bolos, de cestas de frutas e até, segundo parecia, de um porco; e brincadeiras para crianças.

Àquela altura já se formava uma verdadeira multidão e começou uma apresentação de Danças Infantis. Poirot não viu sinal da sra. Oliver, mas a figura de Lady Stubbs, vestida em rosa-ciclame, ressaltava em meio à turba, enquanto ela se movimentava, imprecisamente, de um lado para outro. O centro das atenções, entretanto, parecia ser a sra. Folliat. Sua aparência mudara completamente, usava uma túnica de seda azul-hortênsia e um elegante chapéu cinzento e parecia presidir a festa, cumprimentando os recém-chegados e dirigindo as pessoas para os vários divertimentos.

Poirot ficou por perto e escutou algumas de suas conversas.

— Amy, querida, como vai você?

— Ah, Pamela, que bom você e Edward terem vindo. Tiverton fica tão distante.

— O tempo ajudou você. Lembra-se do ano antes da guerra? Deu um aguaceiro por volta das quatro horas. Arruinou a festa inteira.

— Mas o verão foi maravilhoso este ano. Dorothy! Há séculos que eu não via você!

— Nós achamos que precisávamos vir para ver Nasse em toda sua glória. Estou vendo que você podou os arbustos na encosta.

— É, assim as hortênsias aparecem mais, não acha?

— Estão maravilhosas. Que azul! Mas, minha querida, você fez maravilhas no ano passado. Nasse está realmente começando a se parecer outra vez com o que era.

O marido de Dorothy exclamou, com voz grossa:

— Eu vim ver a fortaleza que instalaram aqui durante a guerra. Fiquei com o coração partido.

A sra. Folliat virou-se para cumprimentar uma visitante mais modesta.

— Sra. Knapper, estou feliz em vê-la. Esta é Lucy? Como está crescida!

— Vai acabar a escola ano que vem. Estou satisfeita de ver a senhora com tão bom aspecto, Madame.

— Estou muito bem, obrigada. Você deve ir tentar a sorte nas rifas, Lucy. Eu a verei na tenda de chá mais tarde, sra. Knapper. Vou ajudar a servir o chá, com licença.

Um homem de idade, presumivelmente o sr. Knapper, disse com timidez:

— Que satisfação ver a senhora de volta a Nasse, Madame. Parece que os velhos tempos voltaram.

A resposta da sra. Folliat foi sufocada porque duas mulheres e um homem alto e corpulento se lançaram em sua direção.

— Amy, querida, faz *séculos*! Isto parece estar o *maior* sucesso! Ah, me diga o que fez com o roseiral. Muriel me disse que você o está recompondo, com novas roseiras.

O homem gordo interrompeu.

— Onde está Marilyn Gale...?

— Reggie está louco para conhecê-la. Viu o último filme dela.

— É aquela com o chapéu grande? Puxa, é bonitona.

— Não seja tolo, querido. Aquela é Hattie Stubbs. Sabe, Amy, você realmente não deveria deixá-la circular por aí *igualzinha* a um manequim.

— Amy? — outro amigo solicitava sua atenção. — Este é Roger, o filho de Edward. Minha querida, é tão bom vê-la de volta a Nasse.

Poirot afastou-se devagarinho e, distraidamente, investiu um ou dois xelins num bilhete que poderia premiá-lo com um porco.

Ainda ouviu fracamente, atrás dele, o refrão: "Que bom terem vindo". E ficou imaginando se a sra. Folliat tinha consciência de estar desempenhando inteiramente o papel da anfitriã, ou se era algo inconsciente. Ela era, esta tarde, definitivamente, a sra. Folliat da mansão Nasse.

Ele estava diante da tenda com o letreiro "Madame Zuleika diz sua sorte por dois xelins e meio". O chá começara a ser servido e não havia mais fila para a leitura da mão. Poirot curvou a cabeça, entrou na tenda e pagou sua meia coroa com boa vontade, pelo privilégio de mergulhar numa cadeira e descansar seus pés doloridos.

Madame Zuleika usava um traje negro e flutuante, um turbante de brocado dourado e um véu na parte inferior do rosto, que lhe abafava ligeiramente a voz. Uma pulseira de ouro com amuletos pendurados tilintou, quando ela pegou a mão de Poirot e leu-a rapidamente, fazendo agradáveis previsões de muito dinheiro, sucesso com uma mulher belíssima e a miraculosa escapada a um acidente.

— É muito agradável tudo que me diz, Madame Legge. Só desejo que se torne realidade.

— Ah — disse Sally. — Então o senhor me conhece?

— Fui previamente informado — a sra. Oliver me contou que a senhora ia ser inicialmente a "Vítima", mas ela deu um jeito de colocá-la no "Oculto".

— Eu preferia ser o "Cadáver" — disse Sally. — Muito mais tranquilo. É tudo culpa de Jim Warburton. Já são quatro horas? Quero tomar meu chá. Tenho uma folga entre quatro e quatro e meia.

— Ainda faltam dez minutos — disse Poirot, consultando seu grande relógio antiquado. — Quer que lhe traga aqui uma xícara de chá?

— Não, não. Quero aproveitar a folga. Esta tenda é sufocante.

— Ainda tem muita gente esperando?

— Não. Acho que estão fazendo fila para o chá.

— Ótimo.

Poirot saiu da tenda e foi imediatamente intimado por uma mulher decidida a pagar meio xelim e adivinhar o peso de um bolo.

Já uma mulher gorda e maternal, que presidia a barraca do lançamento das argolas, o fez tentar a sorte e, para grande embaraço seu, ele ganhou imediatamente uma boneca enorme. Saiu carregando-a, todo envergonhado, e encontrou Michael Weyman, que estava ali perto, no alto de uma estrada que descia até o cais. Ele tinha um ar sombrio.

— O senhor parece estar se divertindo, Monsieur Poirot — disse, com um sorriso irônico.

Poirot contemplou seu prêmio.

— É um verdadeiro horror, não? — perguntou, tristemente.

Junto dele, uma menininha começou de repente a chorar. Poirot inclinou-se depressa e enfiou em seu braço a boneca.

— *Voilà*, é para você.

As lágrimas secaram imediatamente.

— Ah, Violeta, mas que senhor tão bondoso. Diga obrigada — ele é tão...

— Fantasias Infantis — bradou o capitão Warburton por um megafone. — Primeira classe — de três a cinco anos. Façam fila, por favor.

Poirot seguiu em direção a casa e foi abalroado por um rapaz que caminhava de costas para poder acertar o coco de uma posição melhor. O jovem fez cara feia e Poirot se desculpou mecanicamente, com os olhos fixos, cheios de fascinação, na estamparia da camisa de outro. Reconheceu-a como a "camisa de tartaruga", segundo a descrição de Sir George. Tartarugas, cágados e monstros marinhos de todos os tipos pareciam enroscar-se e rastejar sobre o tecido.

Os olhos de Poirot piscaram e ele foi abordado pela moça holandesa à qual dera carona na véspera.

— Então você veio à festa — disse. — E sua amiga?

— Ah, sim, ela também *vir* esta tarde. Não vi ela ainda, mas vamos embora juntas no ônibus que *partir* dos portões às cinco e quinze. Vamos para Torquay e de lá *mudar* para outro ônibus para Plymouth. Conveniente.

Isto explicava um fato que deixara Poirot perplexo, a holandesinha suava ao peso de uma mochila.

Ele disse:

— Vi sua amiga hoje de manhã.

— Ah, sim, Elsa, uma moça alemã, estava com ela e me disse que tentaram atravessar bosques e *chegar rio* e *cais,* mas senhor que é dono da casa *ficar* muito zangado e *fazer* as duas *voltar.*

Ela acrescentou ainda, virando a cabeça em direção ao local onde Sir George animava os competidores da "brincadeira do coco":

— Mas agora — esta tarde — ele está muito gentil.

Poirot teve vontade de explicar que havia uma diferença entre moças invasoras e as mesmas moças depois de pagarem dois xelins e meio pela entrada e se capacitarem legalmente a aproveitar as delícias da mansão Nasse e seus jardins. Mas o capitão Warburton e seu megafone se abateram sobre ele. O capitão parecia estar com calor e aborrecido.

— Viu Lady Stubbs, Poirot? Alguém viu Lady Stubbs? Ela foi escalada para julgar esse negócio das Fantasias Infantis e não consigo encontrá-la em parte alguma.

— Eu a vi, deixe-me pensar, ahn, há cerca de meia hora. Mas logo depois eu fui saber a minha sorte.

— Malditas sejam as mulheres — disse Warburton com raiva. — Onde será que ela se meteu? As crianças estão esperando e já nos atrasamos.

Ele olhou em torno.

— Onde está Amanda Brewis?

A srta. Brewis também não se encontrava por perto.

— É realmente horrível — disse Warburton. — É preciso cooperação, quando se tenta dirigir um espetáculo. Onde poderá estar Hattie? Talvez tenha ido para a casa.

Ele se afastou depressa.

Poirot abriu caminho até o espaço isolado por cordas onde o chá era servido numa grande barraca, mas havia uma comprida fila de espera e ele decidiu não entrar nela.

Examinou o *stand* das Mercadorias-Fantasia, onde uma certa senhora idosa quase conseguiu vender-lhe um porta-joias de plástico e finalmente conseguiu chegar a um lugar, nas imediações, de onde podia observar as atividades a uma distância segura.

Ficou imaginando onde estaria a sra. Oliver.

O ruído de passos, atrás dele, fez com que virasse a cabeça. Um jovem subia o caminho que vinha do cais; era muito moreno, impecavelmente vestido com uma roupa própria para velejar em iate. Ele parou, como se estivesse desconcertado com a cena que via diante de si.

Depois falou, hesitante, com Poirot.

— Desculpe. Esta é a casa de Sir George Stubbs?

— Sim, é. — Poirot calou-se e depois arriscou um palpite. — Será que estou falando com o primo de Lady Stubbs?

— Sou Etienne de Sousa...

— Meu nome é Hercule Poirot.

Fizeram curvaturas um para o outro. Poirot explicou os motivos da festividade. Ao terminar, Sir George atravessou o gramado, em direção a eles, vindo do local onde se realizava a "brincadeira do coco".

— De Sousa? Prazer em vê-lo. Hattie recebeu sua carta hoje pela manhã. Onde está seu iate?

— Está ancorado em Helmmouth. Vim pelo rio de lancha, até o cais.

— Precisamos encontrar Hattie. Ela está por aí... Jantará conosco esta noite, espero.

— É muita gentileza sua.

— Poderemos hospedá-lo?

— É também muita gentileza, mas dormirei em meu iate. É mais fácil assim.

— Vai ficar aqui por muito tempo?

— Dois ou três dias, talvez. Depende. — De Sousa encolheu os ombros elegantes.

— Hattie ficará encantada, tenho certeza — disse Sir George, cortesmente. — Onde *está* ela? Eu a vi não faz muito tempo.

Ele olhou em torno, perplexo.

— Deveria estar julgando o concurso de Fantasias Infantis. Não consigo entender isso. Desculpe-me por um momento. Vou perguntar à srta. Brewis.

Ele se afastou apressadamente. De Sousa ficou a observá-lo. Poirot olhava para De Sousa.

— Faz muito tempo que não vê sua prima? — perguntou.

O outro encolheu os ombros.

— Não a vejo desde que ela tinha quinze anos de idade. Logo depois que foi para o exterior estudar num convento, na França. Quando menina, ela prometia ficar bonita.

Olhou inquisitivamente para Poirot.

— Ela é uma bela mulher — disse Poirot.

— E aquele é o marido dela? Parece o que chamam de "um bom sujeito", mas talvez não muito refinado. Entretanto, para Hattie, talvez fosse difícil encontrar um marido adequado.

Poirot permaneceu com uma expressão cortesmente interrogativa em seu rosto. O outro riu.

— Ah, não é segredo. Aos quinze, Hattie era mentalmente pouco desenvolvida. Débil mental, não é assim que chamam? Ainda está a mesma coisa?

— Parece que sim, creio — disse Poirot com cautela.

De Sousa encolheu os ombros.

— Ah, bom! Por que esperar que as mulheres sejam inteligentes? Não é necessário.

Sir George voltava, encolerizado. A srta. Brewis estava com ele e falava um tanto sem fôlego.

— Não tenho a menor ideia de onde ela se encontra, Sir George. A última vez em que a vi estava perto da tenda da leitura da sorte. Mas isto foi há pelo menos vinte minutos ou meia hora. Ela não está na casa.

— Não será possível — perguntou Poirot — que ela tenha ido observar o progresso da Caçada ao Assassino da sra. Oliver?

A expressão de Sir George amenizou-se.

— Ah, provavelmente é isso. Escute, não posso abandonar as brincadeiras. Sou o encarregado. E Amanda está ocupadíssima. Não poderia, talvez, dar uma olhada por aí, Poirot? Você sabe o caminho.

Mas Poirot não sabia o caminho. Entretanto, perguntando à srta. Brewis, obteve algumas indicações gerais. A srta. Brewis encarregou-se logo de De Sousa e Poirot seguiu adiante, murmurando para si próprio, como quem repete um sortilégio:

"Quadra de Tênis, Jardim das Camélias, A Extravagância, *playground,* Abrigo dos Barcos"...

Ao passar pela "brincadeira do coco", divertiu-se ao ver Sir George oferecendo bolas de madeira, com um maravilhoso sorriso acolhedor, à mesma moça italiana por ele expulsa aquela manhã, e que obviamente estava perplexa com sua mudança de atitude.

Ele continuou a caminhar em direção à quadra de tênis. Mas não havia ninguém ali, a não ser um velho senhor de aparência militar, profundamente adormecido num banco de jardim, com o chapéu puxado por sobre os olhos. Poirot voltou pelo mesmo caminho até a casa, e seguiu para o Jardim das Camélias.

Lá, encontrou a sra. Oliver, vestida com purpurino esplendor e sentada num banco de jardim, em atitude meditativa que lembrava a sra. Siddons. Ela o convidou para se sentar a seu lado.

— Esta é só a segunda pista — sussurrou. — Acho que fiz tudo difícil demais. Ninguém chegou aqui ainda.

Naquele momento, o rapaz de *shorts,* com um pomo de adão proeminente, entrou no jardim. Com um grito de satisfação, ele correu para uma árvore num canto e outro grito de satisfação anunciou a descoberta da próxima pista. Ao passar por eles, sentiu-se compelido a comunicar sua alegria.

— Uma porção de gente não sabe nada a respeito das árvores de cortiça — disse ele, confidencialmente.

— Uma foto engenhosa, a primeira pista, mas eu descobri o que era; um pedaço de rede de tênis. Havia uma garrafa de veneno vazia e uma rolha de cortiça. A maioria vai correr por aí atrás da pista da garrafa, mas adivinhei que era um engodo. São muito delicadas as árvores de cortiça, mas nesta região do país se tornam fortes. Os arbustos e árvores raras me interessam muito. E *agora,* para onde se deve ir...

Franziu a testa enquanto lia uma anotação no caderninho que levava.

— Copiei a pista seguinte, mas não parece fazer sentido. — Olhou para eles, com suspeita. — Estão competindo?

— Ah, não — disse a sra. Oliver. — Só estamos dando uma olhada.

— *Tá bem...* "*Quando a bela mulher se entrega à extravagância*"... Tenho a impressão de que já ouvi isso em algum lugar.

— É uma citação muito conhecida — disse Poirot.

— A Extravagância também pode ser uma edificação — disse a sra. Oliver, esperançosamente. — Branca, com pilares — acrescentou.

— Ah, uma boa ideia! Muito obrigado. Dizem que a sra. Ariadne Oliver está aqui em pessoa. Gostaria de lhe pedir seu autógrafo. Será que a viu por aí?

— Não — disse a sra. Oliver com firmeza.

— Gostaria de conhecê-la. Constrói belas tramas. — Ele baixou a voz. — Mas dizem que bebe como uma esponja.

Ele se afastou às pressas e a sra. Oliver disse, indignada:

— Veja só! Que injustiça, só bebo limonada!

— E será que não cometeu maior injustiça ao ajudar aquele rapaz a encontrar a próxima pista?

— Considerando que ele foi o único a chegar aqui até agora, achei que devia ser encorajado.

— Mas não quis lhe dar seu autógrafo.

— Isso é outra coisa — disse a sra. Oliver. — Psiu! Vem mais gente.

Mas não eram pessoas à caça das pistas. Tratava-se de duas mulheres que, tendo pago a entrada, estavam decididas a fazer valer seu dinheiro, vendo toda a propriedade.

Estavam com calor e aborrecidas.

— A gente pensa que eles têm alguns canteiros de flores bonitas — disse uma delas à outra. — Mas só existem árvores e mais árvores. Eu não chamo isto de *jardim*.

A sra. Oliver deu uma cotovelada em Poirot e eles escapuliram discretamente.

— Vamos supor — disse a sra. Oliver, perturbada — que *ninguém* ache o meu cadáver?

— Paciência, Madame, e coragem — disse Poirot. — A tarde ainda é jovem.

— É verdade — disse a sra. Oliver, animando-se. — E depois das quatro e meia a entrada custa metade do preço, então provavelmente afluirão muitas pessoas.

Vamos ver como anda a garotinha Marlene. Eu realmente não confio naquela menina, sabe. Não tem o menor senso de responsabilidade. Não acho difícil que escapula tranquilamente, em vez de bancar o cadáver, e vá tomar chá. Sabe como as pessoas são loucas por um chá.

Continuaram a caminhar, conversando amistosamente pelo caminho que atravessava o bosque e Poirot fez um comentário sobre a geografia da propriedade.

— Acho isto aqui muito confuso — disse. — Tantos caminhos, e não se tem jamais certeza onde vão dar. E árvores, árvores por toda parte.

— Você está falando como aquela mulher mal-humorada que encontramos há pouco.

Passaram pela Extravagância e desceram em ziguezague pela estrada que levava ao rio. O contorno do abrigo dos barcos apareceu lá embaixo.

Poirot observou que seria desagradável se os "caçadores ao assassino" dessem com o abrigo dos barcos e encontrassem acidentalmente o cadáver.

— Uma espécie de atalho? Pensei nisso. E então a última pista é justamente uma chave. Não se pode destrancar a porta sem ela. É uma Yale. Só é possível abrir por dentro.

Um curto e íngreme declive levava até a porta do abrigo dos barcos, que era construído sobre o rio, com um pequeno cais e um local para guardar as embarcações.

A sra. Oliver tirou uma chave de um bolso escondido entre as pregas púrpura de seu vestido e destrancou a porta.

— Viemos só para animar você, Marlene — disse com alegria, ao entrar.

Ela sentiu um certo remorso por ter suspeitado injustamente da lealdade de Marlene, pois esta, artisticamente arrumada em posição de "cadáver", desempenhava com nobreza seu papel, estirada no chão, perto da janela.

Marlene não deu nenhuma resposta. Estava deitada, completamente imóvel. O vento, soprando suavemente através da janela aberta, mexia numa pilha de revistas em quadrinhos espalhadas por sobre a mesa.

— Tudo bem — disse a sra. Oliver com impaciência. — Somos eu e Monsieur Poirot. Ninguém descobriu muitas pistas ainda.

Poirot franziu a testa. Muito suavemente, ele afastou a sra. Oliver e curvou-se sobre a menina no assoalho. Uma exclamação abafada saiu-lhe dos lábios. Ergueu os olhos para a sra. Oliver.

— Então... — disse ele. — O que a senhora esperava aconteceu.

— Não quer dizer... — Os olhos da sra. Oliver se arregalaram de horror. Ela agarrou uma das cadeiras de vime e se sentou. — Não é possível... que ela esteja *morta*!

Poirot fez que sim com a cabeça.

— Mas como...?

Ele levantou a ponta do lenço cinzento amarrado em torno da cabeça da menina, de modo que a sra. Oliver pudesse ver as extremidades do cordão.

— É como se o assassinato fosse *meu* — disse a sra. Oliver, com voz trêmula. — Mas *quem*? E *por quê*?

— Esta é a pergunta — disse Poirot.

Evitou acrescentar que as mesmas perguntas tinham sido feitas por ele.

E as respostas, agora, não poderiam ser as mesmas, pois a vítima não era a primeira mulher iugoslava de um Cientista Atômico, mas Marlene Tucker, uma camponesinha de catorze anos, e ela, pelo que se sabia, não tinha nenhum inimigo neste mundo.

7

O DETETIVE-INSPETOR BLAND estava sentado diante de uma mesa no estúdio. Sir George foi recebê-lo ao chegar, levou-o para o abrigo dos barcos e depois voltou com ele para a casa. No abrigo dos barcos, os fotógrafos da polícia estavam trabalhando e os encarregados de tirar impressões digitais, bem como o oficial médico, acabavam de chegar.

— Isto aqui lhe convém? — perguntou Sir George.

— Está ótimo, obrigado, Sir.

— O que devo fazer em relação à festa, que prossegue — contar a todos o acontecimento, dizer-lhes que parem, ou o quê?

O Inspetor Bland ficou pensando, durante alguns segundos.

— O que já fez até agora, Sir George? — perguntou.

— Eu não disse nada. Há uma espécie de murmúrio de que ocorreu um acidente. Nada além disso. Não creio que ninguém suspeite ainda de que se trata de... ahn... um assassinato.

— Então deixe as coisas como estão, no momento — decidiu Bland. — A notícia vai circular bem depressa, é o que imagino — acrescentou, cinicamente. Pensou outra vez, durante alguns momentos, antes de perguntar — Quantas pessoas o senhor acredita que estão participando desta festa?

— Umas duzentas, eu calculo — respondeu Sir George —, e chegam mais a cada instante. As pessoas parecem ter vindo de muito longe. Na verdade, o festejo todo está alcançando um enorme sucesso. É uma infelicidade terrível.

O Inspetor Bland deduziu corretamente que Sir George se referia ao assassinato; e não ao sucesso da festa.

— Umas duzentas — refletiu —, e qualquer uma delas poderia, suponho, ter cometido o crime.

Suspirou.

— É complicado — disse Sir George, com simpatia. — Mas não vejo razão para qualquer pessoa fazer isso. A história toda parece fantástica demais — eu não percebo quem poderia querer matar uma garota como aquela.

— O que pode o senhor me dizer a respeito da menina? Era uma moradora local, pelo que entendi, não?

— Sim. Sua família mora em uma das casinhas perto do cais. O pai trabalha numa das fazendas das imediações — a de Peterson, eu acho. — Acrescentou. — A mãe está aqui na festa. A srta. Brewis, minha secretária, pode dizer-lhe muito mais coisas a respeito do assunto do que eu. A srta. Brewis saiu com a mulher e a levou para algum lugar. Está a oferecer-lhe xícaras de chá.

— Perfeitamente — disse o inspetor, em tom de aprovação. — Não estou ainda completamente esclarecido, Sir George, quanto às circunstâncias de tudo isso. O que estava a menina fazendo ali no abrigo dos barcos? Pelo que sei, está em marcha uma espécie de caçada ao assassino, como uma caçada ao tesouro.

Sir George fez um sinal afirmativo com a cabeça.

— Sim. Todos achamos a ideia ótima. Não parece tão boa, agora. Acho que a Srta Brewis, provavelmente, poderá explicar-lhe tudo melhor do que eu. Vou mandar que venha vê-lo, está bem? A não ser que queira saber alguma outra coisa, antes.

— No momento, não, Sir George. Talvez tenha outras perguntas para fazer-lhe mais tarde. Há pessoas que vou desejar ver. O senhor, Lady Stubbs e as pessoas que descobriram o corpo. Uma delas, segundo entendi, é a romancista que planejou essa Caçada ao Assassino, como chamam a brincadeira.

— Isso mesmo. É a sra. Oliver, a sra. Ariadne Oliver.

As sobrancelhas do inspetor se ergueram ligeiramente.

— Ah, foi ela! — disse. — É uma autora de best-sellers. Eu próprio já li vários de seus livros.

— Ela está um tanto perturbada, no momento — disse Sir George. — É natural, suponho. Vou dizer-lhe que o senhor quer falar com ela, posso? Não sei onde está minha mulher. Parece que sumiu completamente. Deve estar por aí, no meio das duzentas ou trezentas pessoas, é o que imagino, muito embora não vá poder dizer-lhe grande coisa. Sobre a menina, ou algo parecido, quero dizer. Com quem gostaria de falar, em primeiro lugar?

— Acho que talvez com sua secretária, a srta. Brewis, e depois com a mãe da menina.

Sir George fez um sinal de assentimento com a cabeça e saiu da sala.

O delegado de polícia local, Robert Hoskins, abriu a porta para ele e a fechou, após sua saída. Fez então uma declaração, por iniciativa própria, obviamente à guisa de comentário sobre algumas das observações de Sir George.

— Lady Stubbs é um tanto ausente, *aqui,* disse batendo na testa. — Por isso ele disse que ela não poderia ajudar muito. É uma deficiente mental.

— Ele se casou com uma moça moradora daqui?

— Não, ela é uma espécie de estrangeira. Alguns dizem que é de cor, mas eu não acredito.

Bland fez um sinal de assentimento com a cabeça. Ficou em silêncio por um momento, rabiscando com um lápis a folha de papel que tinha diante de si. Depois, fez uma pergunta claramente extraoficial.

— Quem foi, Hoskins? — disse.

Se alguém tinha qualquer noção do que estava acontecendo, pensou Bland, esse alguém seria P. C. Hoskins. Hoskins era um homem de mente inquisitiva, com grande interesse em tudo e em todos. Tinha uma mulher muito mexeriqueira e isto, juntamente com seu posto de delegado local, fazia com que dispusesse de grande quantidade de informações de natureza pessoal.

— Se quer saber minha opinião, foi um estrangeiro. Não poderia ser nenhum morador local. Os Tucker são boa gente. Uma excelente família, respeitável. No total, nove pessoas. Duas moças mais velhas são casadas, um rapaz está na Marinha, o outro fazendo seu serviço militar e a outra moça trabalha em um salão de beleza em Torquay. Há três filhos menores em casa, dois meninos e uma menina. — Ele fez uma pausa, meditando. — Nenhum deles poderia ser considerado excepcional, mas a sra. Tucker mantém a casa em ordem, limpa de fazer gosto, foi a mais nova de onze filhos. O pai dela, já ancião, mora em sua casa.

Bland recebeu essa informação em silêncio. Dada na linguagem particular de Hoskins, era um esboço da posição social e da reputação dos Tucker.

— Por isso digo que foi um estrangeiro — continuou Hoskins. — Um desses que se hospedam no Albergue de Hoodown, por mais improvável que pareça. Alguns deles são tipos suspeitos e há uma porção que tem um comportamento censurável. Ficaria surpreso se soubesse o que vi fazerem entre os arbustos e nos bosques! Coisas tão sérias como as que acontecem nos automóveis estacionados ao longo do Common.

P. C. Hoskins era, àquela altura, um absoluto especialista no assunto dos "transviados" sexuais. Eles ocupavam grande parte de sua conversa, quando estava fora do serviço e tomando seu copinho na Bull and Bear. Bland disse:

— Acho que não houve nada... ahn, desse tipo. O médico vai nos dizer, é claro, logo que terminar seu exame.

— Sim, senhor, ele é quem vai decidir, é claro. Mas acho que não se deve confiar em estrangeiros. De repente, tornam-se perigosos.

O Inspetor Bland suspirou, pensando que não era assim tão simples. Era muito cômodo para o Delegado Hoskins pôr a culpa, convenientemente, em "estrangeiros".

A porta se abriu e o médico entrou.

— Já cumpri minha parte — comentou. — Podem levá-la agora. O resto do material já foi empacotado.

— O Sargento Cottrill vai tratar disso — disse Bland. — Bem, doutor, o que descobriu?

— Nada de extraordinário — disse o médico. — Nenhuma complicação. Foi garroteada com um pedaço de cordão de estender roupa. Nada poderia ser mais simples ou mais fácil de fazer. Não houve nenhuma luta de qualquer tipo antes. Eu acho que a menina não sabia o que estava acontecendo com ela, até acontecer.

— Algum sinal de violação?

— Nenhum. Não houve violação ou sinais de estupro, nem de interferência de qualquer tipo.

— Então presumivelmente não foi um crime sexual?

— Eu diria que não. — O médico acrescentou: — Não me parece que fosse uma menina particularmente atraente.

— Ela gostava de rapazes?

— Acho que não andava lá muito com eles — disse o Delegado Hoskins —, embora talvez quisesse andar.

— Talvez — concordou Bland. Lembrou a pilha de revistas em quadrinhos que havia no abrigo dos barcos e os rabiscos encontrados nas margens. "Johnnie trepa com Kate", "George Porgie beija 'hippies' no bosque". Achou que havia ali um certo desejo inconsciente. De modo geral, entretanto, não parecia provável que houvesse na morte de Marlene Tucker um ângulo sexual. Embora, claro, nunca se soubesse... Sempre havia aqueles estranhos criminosos, homens com uma sede secreta de matar, que se especializavam em vítimas do sexo feminino e ainda não adultas. Um deles poderia estar presente nesta parte do mundo, durante essas férias de verão. Ele quase acreditava que *deveria* ser assim pois, de outra maneira, não poderia realmente ver nenhuma razão para um crime tão despropositado. Entretanto, pensou, estamos apenas no começo. É melhor ver o que essas pessoas todas têm para me dizer.

— E a hora da morte? — perguntou.

O médico deu uma olhada no relógio de parede e no seu, de pulso.

— São pouco mais de cinco e meia agora — disse. — Vamos dizer que eu a tenha examinado cerca de cinco e vinte, ela estava morta há uma hora. Mais ou menos isso, quero dizer. Vamos situar o crime entre quatro horas e vinte para as cinco. Eu o informarei se houver alguma novidade na autópsia. — Acrescentou:

— Receberá o relatório sobre o assunto, trazendo tudo bem explicado, logo que possível. Vou sair agora. Tenho de ver alguns pacientes.

Saiu da sala e o Inspetor Bland pediu a Hoskins para ir buscar a srta. Brewis. Ficou um pouco mais animado quando ela entrou. Ali, reconheceu imediatamente, havia eficiência. Obteria respostas claras às suas perguntas, horários definidos, tudo sem a menor confusão.

— A sra. Tucker está em minha sala de visitas — disse a srta. Brewis quando se sentou. — Dei a ela a notícia e lhe ofereci um pouco de chá. Ela está muito perturbada, naturalmente. Queria ver o corpo, mas eu lhe disse que era muito melhor não fazer isso. O sr. Tucker sai do trabalho às seis horas e virá encontrar sua mulher. Mandei que o procurem e o tragam até aqui quando chegar. Os filhos mais novos ainda estão na festa e alguém os está observando.

— Excelente — disse o Inspetor Bland, em tom de aprovação. — Acho que, antes de ouvir a sra. Tucker, gostaria de escutar o que a srta. e Lady Stubbs podem me dizer.

— Não sei onde está Lady Stubbs — disse a srta. Brewis, com azedume. — Imagino que ficou entediada com a festa e se afastou para algum lugar, mas não creio que vá poder dizer-lhe algo mais do que eu. O que, exatamente, o senhor quer saber?

— Quero saber, em primeiro lugar, todos os detalhes dessa caçada ao assassino e como essa menina, Marlene Tucker, chegou a tomar parte nela.

— É muito simples.

De maneira sucinta e com clareza, a srta. Brewis explicou a ideia da caçada ao assassino, que deveria ser uma atração original para a festa e a contratação da sra. Oliver, a conhecida romancista, para planejar a brincadeira, além de dar uma visão geral do enredo.

— Inicialmente — explicou a srta. Brewis —, a sra. Alec Legge é quem faria o papel da vítima.

— A sra. Alec Legge? — perguntou o inspetor.

O Delegado Hoskins interveio, com uma explicação.
— Ela e o sr. Legge estão no chalé dos Lawders, aquele cor-de-rosa que fica próximo ao Moinho Creek. Chegaram há um mês. E estão com a casa alugada por uns dois ou três.
— Entendo. E a sra. Legge, segundo diz, deveria ser a vítima, inicialmente? Por que isto foi modificado?
— Bom, certa noite a sra. Legge leu a mão de todos nós e se saiu tão bem que ficou decidida a instalação de uma tenda para a leitura da sorte, como uma das atrações. A sra. Legge vestiria um traje oriental e seria Madame Zuleika, lendo cada mão por meia coroa. Não creio que isto seja realmente ilegal, não é, inspetor? Quero dizer, é comum se fazer esse tipo de coisa, em festas do gênero.
— A leitura da mão e as rifas não são sempre levadas muito a sério, srta. Brewis — ele disse. — De vez em quando temos de ser um pouco mais severos.
— Mas, em geral, o senhor é tolerante, não? Bem, foi assim: a sra. Legge concordou em nos ajudar daquele modo e então tivemos de encontrar outra pessoa para fazer o cadáver. As Guias locais estavam nos ajudando nos preparativos para a festa e alguém sugeriu que uma delas serviria muito bem para aquilo.
— Quem, exatamente, sugeriu isso, srta. Brewis?
— Ah, não sei bem... Acho que pode ter sido a sra. Masterton, mulher do representante local no Parlamento. Não, talvez tenha sido o capitão Warburton... Na verdade, não tenho certeza. Mas, de qualquer maneira, a sugestão *foi feita*.
— Havia alguma razão para a escolha daquela menina, em particular?
— N-não, creio que não. Seus pais são arrendatários na propriedade e a mãe, sra. Tucker, algumas vezes vem ajudar na cozinha. Não sei muito bem por que decidimos escolhê-la. Provavelmente, seu nome nos veio à mente primeiro. Nós a chamamos e ela parecia muito satisfeita em fazer aquilo.
— Ela, sem sombra de dúvida, queria fazer o papel?
— Ah, sim, acho que ficou lisonjeada. Era um tipo de garota muito simplória e não poderia ter *representado* um papel, ou algo

parecido. Mas aquilo era muito simples e ela sentiu que fora distinguida entre as outras e ficou contente com isso.

— O que, exatamente, ela tinha de fazer?

— Tinha de ficar no abrigo dos barcos. Quando ouvisse alguém se aproximar da porta, deveria ficar deitada no chão, colocar o cordão em torno do pescoço e se fingir de morta. — A entonação da srta. Brewis era calma, prática. O fato de que a moça à qual pediram para se fingir de morta na realidade tinha sido achada assassinada não parecia, no momento, afetá-la emocionalmente.

— Uma maneira um tanto tediosa de passar a tarde, para a menina, quando poderia estar na festa — sugeriu o Inspetor Bland.

— Suponho que sim, de certo modo — disse a srta. Brewis —, mas não se pode ter tudo de uma vez, não é? E Marlene gostou da ideia de ser o cadáver. Isto a fazia se sentir importante. Ela tinha uma pilha de jornais, ou algo assim, para ler, a fim de se manter entretida.

— E algo para comer, também? — disse o inspetor. — Observei que havia uma bandeja ali, com um prato e um copo.

— Ah, sim, ela recebeu um prato grande de bolinhos e refresco de framboesa. Eu própria levei isso até lá.

Bland ergueu os olhos repentinamente.

— A srta. mesma levou? Quando?

— No meio da tarde.

— A que horas, exatamente? Pode lembrar-se?

A srta. Brewis pensou antes de responder.

— Deixe-me ver. Foi julgado o concurso de Fantasias Infantis, houve um pequeno atraso — Lady Stubbs não pôde ser encontrada, mas a sra. Folliat substituiu-a e então foi tudo bem... Sim, deve ter sido — tenho quase certeza — cerca das quatro e cinco que peguei os bolinhos e o refresco de fruta.

— E levou tudo para ela pessoalmente, no abrigo dos barcos. A que horas chegou lá?

— Ah, demora cerca de cinco minutos para descer até o abrigo dos barcos, mais ou menos quatro e quinze, creio.

— E às quatro e quinze Marlene Tucker ainda estava viva e bem?

— Sim, claro — disse a srta. Brewis —, e muito ansiosa para saber como iam os participantes da caçada ao assassino, também. Acho que não pude lhe dar nenhuma notícia. Estava ocupada demais com as brincadeiras no gramado, mas sei que muitas pessoas se inscreveram para a caçada. Vinte ou trinta, pelo que sei. Provavelmente, muito mais gente.

— Como encontrou Marlene, quando chegou no abrigo dos barcos?

— Eu já lhe disse.

— Não, não estou perguntando isso. Quero dizer, ela estava deitada no chão, fingindo de morta, quando a srta. abriu a porta?

— Ah, não — disse a srta. Brewis —, porque eu a chamei, antes de chegar lá. Ela abriu a porta e eu levei a bandeja para dentro e a coloquei sobre a mesa.

— Às quatro e quinze — disse Bland, tomando notas —, Marlene Tucker estava viva. Deve entender, srta. Brewis, que este é um dado muito importante. Tem certeza absoluta quanto ao horário?

— Não posso ter certeza absoluta porque não olhei para meu relógio, mas tinha olhado pouco tempo antes e este é o cálculo mais próximo que posso fazer. — Ela acrescentou, com um início de percepção súbita quanto ao que o inspetor queria dizer: — Então, foi pouco tempo depois...?

— Não pode ter sido muito tempo depois, srta. Brewis.

— Ora essa! — disse a srta. Brewis.

A exclamação era um tanto inadequada, mas transmitia muito bem o espanto e a preocupação da srta. Brewis.

— Vejamos, srta. Brewis, quando seguia para o abrigo dos barcos, e ao voltar outra vez para a casa, encontrou alguém ou viu alguma pessoa por perto?

A srta. Brewis ficou pensando.

— Não — disse —, não encontrei ninguém. Talvez tenha encontrado, naturalmente, porque a propriedade está aberta a todos, esta tarde. Mas, de modo geral, as pessoas tendem a ficar pelo gramado, junto ao local onde se realizam as brincadeiras e jogos. Gostam de ir à horta e às estufas, mas não estão percorrendo os bosques em número tão grande quanto eu imaginaria. As pessoas costumam andar em grupos quase sempre, nessas ocasiões, não acha, inspetor?

O inspetor respondeu que sim, provavelmente.

— Mas creio — disse a srta. Brewis, com uma lembrança repentina — que havia alguém na Extravagância.

— Na Extravagância?

— Sim, um pequeno templo branco. Foi construído há apenas um ano, ou dois. Fica à direita da estrada, quando se desce para o abrigo dos barcos. Havia alguém ali. Um casal de namorados, segundo suspeito. Alguém estava rindo e, depois, a outra pessoa disse "psiu".

— A srta. não sabe quem era esse casal de namorados?

— Não tenho a menor ideia. Não se pode, da estrada, ver a frente da Extravagância. Os lados e a parte de trás são fechados.

O inspetor ficou pensando por alguns momentos, mas não lhe pareceu provável que o casal, quem quer que fosse, abrigado ali na Extravagância tivesse a menor importância. Mas talvez fosse melhor descobrir quem eram porque, por sua vez, poderiam ter visto alguém chegando do abrigo dos barcos ou indo para lá.

— E não havia ninguém mais na estrada? Absolutamente ninguém? — ele insistiu.

—Vejo onde quer chegar, naturalmente — disse a srta. Brewis. — Só posso garantir que não encontrei ninguém. Mas, o senhor percebe, não era inevitável. Quero dizer, se houvesse alguém na estrada que não quisesse ser visto por mim, seria a coisa mais simples do mundo esconder-se atrás de algum pé de rododendro. A estrada é marginada, de cada lado, por moitas e arbustos de rododendro. Se alguém que não deveria estar ali ouvisse uma pessoa se aproximando pela estrada poderia sumir num momento.

O inspetor mudou para outra linha de interrogatório.

— Há alguma coisa que a srta. saiba da menina e acha que possa ser útil?

— Na verdade, nada sei a respeito dela — disse a srta. Brewis.
— Acho que jamais lhe falei, antes dos últimos acontecimentos. Ela era uma das meninas que eu via por aí — conheço-a vagamente de vista, mas apenas isso.
— E não sabe nada *a respeito* dela — nada que possa ser útil?
— Não sei de nenhum motivo que pudesse levar alguém a querer matá-la — disse a srta. Brewis. — Na verdade, me parece, se entende o que quero dizer, completamente impossível ter acontecido uma coisa dessas. Só posso pensar que algum desequilibrado, pelo fato de ela fazer o papel de vítima de um assassinato, tenha sido induzido a querer transformá-la em verdadeira vítima. Mas mesmo isso parece uma hipótese remota e tola.

Bland suspirou.

— Muito bem — disse. — Acho que é melhor eu conversar com a mãe, agora.

A sra. Tucker era uma mulher magra, com o rosto estreito, cabelo louro, fino e comprido e um nariz pontudo. Seus olhos estavam vermelhos de chorar, mas já se controlara e estava pronta para responder às perguntas do inspetor.

— Parece impossível que uma coisa dessas tenha acontecido — disse. — A gente lê coisas assim no jornal, mas acontecer com a nossa Marlene...

— Eu sinto muito — disse o Inspetor Bland, com gentileza.

— Quero, agora, que a senhora pense muito e me diga se existe alguém que pudesse ter algum motivo para atacar a menina.

— Já estive pensando sobre isso — disse a sra. Tucker, dando uma repentina fungadela. — Pensei muito, mas não tirei nenhuma conclusão. De vez em quando, ela discutia com o professor, na escola, e não deixava de se meter em briguinhas com alguma menina ou menino, mas nada sério, de jeito nenhum. Não existe ninguém que realmente tivesse motivo para atacar Marlene, ninguém que quisesse lhe fazer mal.

— Ela nunca lhe falou a respeito de alguma pessoa que poderia ser um inimigo de algum tipo?

— Ela falava muita tolice, mas nada a respeito disso. Era só coisa sobre maquilagem, penteados, e o que gostaria de fazer com o rosto e com ela mesma. Sabe como são as meninas. Era muito garota para usar batom e essa porcariada toda, e o pai disse a ela, eu também. Mas era isso que fazia, quando conseguia botar a mão em algum dinheiro. Comprava perfume e batom e escondia.

Bland fez um sinal de concordância com a cabeça. Não havia nada nas palavras dela que pudesse ajudá-lo. Uma adolescente, uma menina meio tolinha, com a cabeça cheia de artistas de cinema e fantasias; havia centenas de Marlenes.

— O que o pai dela vai dizer, eu não sei — observou a sra. Tucker. — Vai chegar aqui a qualquer momento, esperando se divertir. Sabe atirar muito bem, na brincadeira dos cocos, se sabe.

Ela perdeu o controle de repente, e começou a soluçar.

— Se quer saber o que eu penso — disse —, foi um desses estrangeiros esquisitos do albergue. Não se pode confiar em estrangeiros. Quase todos eles falam com muita gentileza, mas as camisas que usam só vendo para acreditar. Camisas com moças usando esses biquínis, ou sei-lá-o-quê. E todos eles tomando banho de sol aqui e acolá, sem nem camisa; tudo isso só pode dar problemas. É o que eu acho!

Ainda em prantos, a sra. Tucker foi conduzida para fora da sala pelo Delegado Hoskins. Bland refletiu que o veredicto local parecia aquele mesmo, tão confortável e provavelmente empregado há séculos, de atribuir todo acontecimento trágico a estrangeiros não especificados.

8

— ELA TEM UMA LÍNGUA terrível — disse Hoskins, quando voltou. — Aborrece o marido e maltrata seu velho pai. Acho até que deu um ou dois carões na menina e agora se sente culpada. Muito embora essas garotas nem liguem para o que as mães dizem. Entra por um ouvido e sai pelo outro.

O Inspetor Bland interrompeu essas considerações de ordem geral e disse a Hoskins para ir buscar a sra. Oliver.

O inspetor ficou um tanto espantado ao ver a sra. Oliver. Ele não esperava nada tão volumoso, tão purpurino e num estado de tal perturbação emocional.

— Eu me sinto péssima — disse a sra. Oliver, afundando na cadeira diante dele como um manjar branco que fosse, em vez disso, cor de púrpura. — PÉSSIMA — acrescentou, usando claramente maiúsculas.

O inspetor fez alguns ruídos ambíguos e a sra. Oliver prosseguiu, num impulso.

— Porque, o senhor sabe, o crime é *meu*. Fui eu quem fiz!

Durante um assombrado instante, o Inspetor Bland pensou que a sra. Oliver estava acusando a si própria do crime.

— Não consigo imaginar por que escolhi a mulher iugoslava de um Cientista Atômico para ser a vítima! — disse a sra. Oliver, passando as mãos pelo sofisticado penteado de maneira tão frenética que parecia estar ligeiramente bêbeda. — Foi uma completa imbecilidade minha. Poderia muito bem ter sido o segundo jardineiro, que não era o que parecia e isso seria bem menos complicado porque, afinal de contas, na maioria, os homens sabem tomar conta de si mesmos e, nesse caso, eu não teria me importado tanto. Os homens são assassinados e ninguém se importa, quero dizer, ninguém a não ser suas mulheres e namoradas e filhos, gente assim.

A essa altura, o inspetor começou a nutrir injustas suspeitas a respeito da sra. Oliver. Estas aumentavam devido ao leve odor de conhaque soprado em sua direção. Ao voltarem para casa, Hercule Poirot administrara com firmeza à sua amiga este maravilhoso remédio para sustos.

— Não sou louca e não estou bêbeda — disse a sra. Oliver, adivinhando intuitivamente os pensamentos dele — embora, como aquele homem pensa que eu bebo como uma esponja e diga que todo mundo diz isso, o senhor provavelmente também poderá pensar assim.

— Que homem? — perguntou o inspetor, com as suas ideias desviando-se da inesperada introdução do segundo jardineiro no drama para a nova introdução de um homem não designado.

— Sardento e com um sotaque de Yorkshire — disse a sra. Oliver. — Mas, como dizia, eu não estou bêbeda e nem louca. Apenas abalada. Completamente ABALADA — ela repetiu, mais uma vez recorrendo às maiúsculas.

— Tenho certeza, Madame, que deve ter sido muito desagradável — disse o inspetor.

— O pior é que — disse a sra. Oliver — ela *queria* ser vítima de um tarado sexual, e agora suponho que foi. Está... sabe o que quero dizer?

— Ela não foi atacada por nenhum maníaco sexual — disse o inspetor.

— Ah é? — disse a sra. Oliver. — Bom, graças a Deus. Ah, sei lá. Talvez ela preferisse assim. Mas se não foi um tarado sexual, por que iria alguém matá-la, inspetor?

— Eu tinha a esperança — disse o inspetor — de que a senhora pudesse me ajudar a descobrir isso.

Sem dúvida, pensou, a sra. Oliver pusera o dedo no ponto crucial. Por que alguém iria matar Marlene?

— Não posso ajudá-lo — disse a sra. Oliver. — Não consigo imaginar quem poderia ter feito isso. Simplesmente *imaginar,* aliás, é claro que posso. Eu *imagino* qualquer coisa! Esse é meu problema. Posso imaginar coisas agora, neste minuto mesmo. Até poderia fazer com que parecessem coerentes, mas nenhuma, é claro, seria verdadeira. Quero dizer, ela talvez tenha sido assassinada por alguém que simplesmente gosta de assassinar meninas, mas isto é fácil demais e, de qualquer jeito, seria muita coincidência alguém com inclinação para matar meninas estar justamente nesta festa. E como saberia que Marlene se encontrava no abrigo dos barcos? Ou, quem sabe, ela talvez soubesse de algum segredo sobre a vida amorosa de alguém, ou tivesse visto alguém enterrar um cadáver à noite, ou reconhecido uma pessoa escondendo a própria identidade, ou soubesse um segredo sobre um tesouro enterrado durante a guerra. Ou, ainda, o homem na lancha pode ter atirado alguém no rio e ela viu, da janela do abrigo dos barcos, ou ela pode ter pego alguma mensagem muito importante, em código secreto, que talvez nem soubesse do que se tratava.

— Por favor! — O inspetor levantou a mão. Sua cabeça estava zonza.

A sra. Oliver parou, obedientemente. Era óbvio que poderia ter continuado naquele tom por algum tempo, embora o inspetor achasse que ela já abordara todas as possibilidades, verossímeis ou não. Da riqueza do material a ele apresentado, selecionou uma frase.

— O que quis dizer, sra. Oliver, quando falou do "homem na lancha"? Está apenas imaginando um homem numa lancha?

— Alguém me disse que ele veio numa lancha — falou a sra. Oliver. — Não consigo lembrar quem. Acho que foi a pessoa sobre a qual falávamos na hora do café da manhã.

— Por favor — o tom do inspetor era agora de súplica. Ele anteriormente não tinha a menor ideia de como eram os escritores de romances policiais. Sabia que a sra. Oliver era autora de mais de quarenta livros. No momento, achava incrível que não tivesse escrito cento e quarenta. Soltou uma pergunta peremptória:

— Que história é essa de um homem que, na hora do café da manhã, chegou de lancha?

— Ele não chegou de lancha na hora do café da manhã — disse a sra. Oliver. — Chegou de iate. Mas não é bem isso que quero dizer. Foi uma carta.

— O que chegou afinal? — perguntou Bland. — Um iate ou uma carta?

— Uma carta — disse a sra. Oliver — para Lady Stubbs. De um primo, num iate. E ela ficou com medo — concluiu.

— Com medo? De quê?

— Dele, suponho — disse a sra. Oliver. — Qualquer pessoa percebia isso. Estava apavorada por causa dele, e não queria que viesse, e acho que está escondida agora.

— Escondida? — perguntou o inspetor.

— Bom, ela não está em parte alguma — disse a sra. Oliver. — Todos estão procurando por ela. E eu acho que está escondida, porque tem medo dele e não quer encontrá-lo.

— Quem é esse homem? — perguntou o inspetor.

— É melhor perguntar a Monsieur Poirot — disse a sra. Oliver. — Porque falou com ele e eu não. O nome do homem é Esteban... não, este é o da minha história. De Sousa, assim se chama, Etienne de Sousa.

Mas outro nome chamara a atenção do inspetor.

— Como disse? — ele perguntou. — Sr. Poirot?

— Sim, Hercule Poirot. Ele estava comigo, quando encontramos o corpo.

— Hercule Poirot... Ora, fico imaginando. Será o mesmo homem? Um belga, baixinho, com um bigode muito grande?

— Um bigode imenso — concordou a sra. Oliver.

— O senhor o conhece?

— Faz muitos anos que o encontrei. Eu era um jovem sargento, naquele tempo.

— O senhor o encontrou durante um caso de homicídio?

— Sim, foi. Mas o que *ele* está fazendo aqui?

— Estava encarregado de entregar os prêmios — disse a sra. Oliver.

Houve uma pequena hesitação antes da resposta ser dada, mas isto passou despercebido ao inspetor.

— E ele estava com a senhora quando descobriu o corpo — disse Bland. — Ah, gostaria de conversar com ele.

— Quer que eu vá buscá-lo? — a sra. Oliver reuniu seus drapejados cor de púrpura, esperançosamente.

— Não há mais nada que possa acrescentar, Madame? Nada mais que acredite possa ser útil a nós, de alguma maneira?

— Não creio — disse a sra. Oliver. — Não sei de nada. Como falei, eu poderia imaginar razões...

O inspetor interrompeu rapidamente suas palavras. Não tinha a menor vontade de ouvir mais nenhuma das soluções imaginadas pela sra. Oliver. Eram confusas demais.

— Muito obrigado, Madame — disse ele, depressa. — Ficarei muito agradecido se a senhora pedir a Monsieur Poirot para vir falar comigo aqui.

A sra. Oliver saiu da sala. P. C. Hoskins perguntou, com interesse:

— Quem é esse Monsieur Poirot, senhor?

— Você provavelmente diria que ele é um *pagode* — disse o Inspetor Bland. — Ele é uma espécie de paródia de francês, dessas que aparecem nas comédias musicais, mas na verdade é belga. Entretanto, apesar de seus absurdos, tem crânio. Já deve estar mais ou menos idoso.

— E esse De Sousa? — perguntou o delegado. — Acha que é suspeito, senhor?

O Inspetor Bland não escutou a pergunta. Tomou consciência de um fato que, embora já lhe tivessem comunicado várias vezes, só agora estava começando a registrar.

Primeiro fora Sir George, irritado e alarmado. "Minha mulher parece ter desaparecido. Não tenho ideia de onde se meteu." Depois, a srta. Brewis, com desprezo: "Lady Stubbs não foi encontrada. Deve ter ficado entediada com o espetáculo". E agora a sra. Oliver, com a teoria de que Lady Stubbs estava escondida.

— Ahn? O quê? — disse, distraído.

O Delegado Hoskins limpou a garganta.

— Eu estava perguntando ao senhor se achava que há alguma coisa suspeita com relação a esse De Sousa — seja lá quem for.

O Delegado Hoskins estava evidentemente deliciado por ver um estrangeiro específico, em vez de estrangeiros misturados à multidão, introduzido no caso. Mas a mente do Inspetor Bland seguia por um curso diferente.

— Quero Lady Stubbs — disse ele, rispidamente. — Vá buscá-la para mim. Se não estiver por aí, procure-a.

Hoskins parecia um pouco confuso, mas saiu da sala obedientemente. Na porta, parou e recuou um pouco, a fim de permitir que Hercule Poirot entrasse. Olhou para trás, por sobre o ombro, com algum interesse, antes de fechar a porta.

— Não creio — disse Bland, erguendo-se e estendendo a mão — que se lembre de mim, Monsieur Poirot.

— Mas claro que sim — disse Poirot. — É — espere um momento, só um momentinho. É o jovem sargento — sim, Sargento Bland, a quem conheci há catorze, não, quinze anos.

— Perfeitamente. Que memória!

— Absolutamente. Se consegue lembrar-se de mim, por que não deveria eu me lembrar de si?

Seria difícil, pensou Bland, esquecer Hercule Poirot, e não só por razões lisonjeiras.

— Então está por aqui, Monsieur Poirot — disse. — Assistindo mais uma vez a um assassinato.

— Correto — disse Poirot. — Fui chamado para assistir.

— Chamado para assistir? — Bland parecia confuso.

Poirot disse, depressa:

— Quero dizer, fui convidado para entregar os prêmios nessa caçada ao assassino.

— Foi o que a sra. Oliver me disse.

— Ela não lhe disse nada mais? — disse Poirot, de maneira aparentemente casual. Estava ansioso para descobrir se a sra. Oliver dera ao inspetor qualquer indicação dos motivos verdadeiros que a levaram a insistir na viagem de Poirot a Devon.

— Se não me disse mais nada? Ela não parou de me dizer coisas. Deu todos os motivos possíveis e impossíveis para o assassinato da menina. Me deixou tonto. Puxa! Que imaginação!

— Ela ganha a vida imaginando, *mon ami* — disse Poirot, com secura.

— Ela mencionou um homem chamado De Sousa — será que imaginou isso?

— Não, é fato concreto.

— Havia alguma coisa a respeito de uma carta recebida durante o café da manhã, e um iate; e a vinda dele pelo rio numa lancha. Achei tudo sem pé nem cabeça.

Poirot empenhou-se numa explicação. Ele descreveu a cena ocorrida durante o café da manhã, a carta, a dor de cabeça de Lady Stubbs.

— A sra. Oliver disse que Lady Stubbs estava com medo. Também achou que ela estava assustada?

— Foi a impressão que me deu.

— Com medo do primo? Por quê?

Poirot encolheu os ombros.

— Não tenho a menor ideia. Tudo que ela me disse foi que ele é mau, um homem mau. Ela é, compreende, um tanto simplória. Deficiente mental.

— Sim, isto parece ser bem sabido por aqui. Ela não disse por que tinha medo desse De Sousa?

— Não.

— Mas acha que o medo dela era real?

— Se não era, ela é uma excelente atriz — disse Poirot, secamente.

— Estou começando a ter algumas ideias estranhas a respeito deste caso — disse Bland. Ele se levantou e começou a caminhar nervosamente de um lado para outro. — Acho que é por culpa daquela mulher terrível.

— A sra. Oliver?

— Sim. Ela pôs uma porção de ideias melodramáticas em minha cabeça.

— E acha que podem ser verdadeiras?

— Não todas, naturalmente — mas uma ou duas delas talvez não sejam tão absurdas quanto pareciam. Tudo depende... — Ele parou de falar quando a porta se abriu e P. C. Hoskins entrou outra vez.

— Parece impossível achar Lady Stubbs, senhor — disse. — Ela não está em parte alguma.

— Já sei — disse Bland, com irritação. — Eu lhe disse para encontrá-la.

— Sargento Farrell e P. C. Lorimer estão dando uma busca na propriedade, senhor — disse Hoskins. — Ela não está na casa — acrescentou.

— Pergunte ao homem que está recebendo os bilhetes de ingressos no portão se ela saiu da propriedade. A pé ou de automóvel.

— Sim, senhor.

Hoskins foi embora.

— E descubra a última vez em que foi vista, e onde — Bland gritou às suas costas.

— Então o seu raciocínio é nesse sentido — disse Poirot.

— Não tem sentido nenhum ainda — disse Bland —, mas acabo de despertar para o fato de que uma pessoa que deveria estar aqui não se encontra em parte alguma! Quero saber por quê. Diga-me o que mais sabe a respeito desse sei-lá-o-quê De Sousa.

Poirot descreveu seu encontro com o jovem que subira a estrada do cais.

— Ele provavelmente ainda está na festa — disse. — Quer que eu diga a Sir George que deseja vê-lo?

— Espere mais um momento — disse Bland. — Gostaria de descobrir algumas outras coisas, primeiro. Quando o senhor viu pela última vez Lady Stubbs?

Poirot fez um esforço para se lembrar.

Achou difícil recordar com exatidão. Lembrava-se de vagas visões de sua figura alta, vestida em ciclame, com o chapéu negro de abas caídas, movimentando-se pelo gramado, a conversar com as pessoas, aqui e acolá; ocasionalmente, ouviu aquela sua estranha risada, identificável entre muitos outros sons confusos.

— Acho — disse em tom de dúvida — que não deve ter sido muito tempo antes das quatro horas.

— E onde ela estava então, e com quem?

— Ela estava no meio de um grupo, perto da casa.

— Estava ali, quando De Sousa chegou?

— Não me lembro. Creio que não, pelo menos não a vi. Sir George disse a De Sousa que sua mulher se encontrava por ali. Ele parecia surpreso, eu me lembro, por ela não estar julgando o concurso de Fantasias Infantis, como deveria fazer.

— A que horas chegou De Sousa?

— Deve ter sido cerca de quatro e meia, eu acho. Não olhei para meu relógio, de modo que não posso dizer-lhe com precisão.

— E Lady Stubbs desaparecera antes da chegada dele?

— Parece que sim.

— Provavelmente, fugiu para não encontrá-lo — sugeriu o inspetor.

— É possível — concordou Poirot.

— Bom, ela não pode ter ido longe — disse Bland. — Deveremos encontrá-la com bastante facilidade e, quando isto acontecer... — ele parou de falar.

— E, se não a encontrar? — Poirot fez a pergunta com uma entonação curiosa na voz.

— Isso é tolice — disse o inspetor, vigorosamente. — Por quê? Acha que aconteceu alguma coisa com ela?

Poirot encolheu os ombros.

— Sei lá! A gente fica sem saber. Tudo que se sabe é que ela — desapareceu!

— Pare com isso, Monsieur Poirot, está fazendo tudo parecer muito sinistro.

— Talvez *seja* sinistro.

— É o assassinato de Marlene Tucker que estamos investigando — disse o inspetor, severamente.

— Mas é evidente. Então — por que esse interesse em De Sousa? Acha que ele matou Marlene Tucker?

O Inspetor Bland respondeu, despropositadamente:

— É aquela mulher!

Poirot sorriu, levemente.

— Refere-se à sra. Oliver?

— Sim. Monsieur Poirot, como vê, o assassinato de Marlene Tucker não faz sentido. Não faz absolutamente sentido nenhum. Uma garota qualquer, meio simplória, foi achada estrangulada e não há a menor indicação de possível motivo.

— E a sra. Oliver lhe forneceu um motivo?

— Pelo menos uma dúzia! Entre eles, ela sugeriu que Marlene poderia saber sobre um caso de amor secreto, ou que Marlene poderia ter testemunhado o assassinato de alguém, ou que sabia onde estava escondido um tesouro enterrado, ou poderia ter visto da janela do abrigo dos barcos alguma ação de De Sousa em sua lancha, enquanto vinha pelo rio.

— Ah. E qual dessas teorias lhe atrai, *mon cher*?

— Não sei. Mas não posso deixar de pensar a respeito delas. Escute, Monsieur Poirot. Relembre com cuidado. Diria, tomando como base a impressão que teve diante das palavras de Lady Stubbs ao senhor, esta manhã, que ela estava com medo da chegada do primo porque poderia, talvez, saber alguma coisa a respeito dela, que ela não queria que chegasse aos ouvidos do marido, ou diria, em vez disso, que ela sentiu um medo direto e pessoal do homem?

Poirot não teve a menor hesitação ao responder.

— Eu diria que foi um medo direto, pessoal, do homem em si.

— Ahn — disse o Inspetor Bland. Bom, é melhor eu ter uma conversinha com esse rapaz, se ainda estiver por aí.

9

EMBORA NÃO TIVESSE nada do entranhado preconceito do Delegado Hoskins contra estrangeiros, o Inspetor Bland tomou antipatia imediata por Etienne de Sousa.

A refinada elegância do rapaz, seu traje impecável, o forte perfume do cabelo cheio de brilhantina, tudo se somava para irritar o inspetor.

De Sousa estava muito seguro, completamente à vontade. Também exibia, embora discretamente velado, um certo ar superior de quem se divertia.

— É preciso reconhecer — ele disse — que a vida é cheia de surpresas. Chego aqui num cruzeiro de férias, admiro a bela paisagem, venho passar a tarde com uma priminha que não vejo há anos e o que acontece? Primeiro, sou engolfado por uma espécie de carnaval, com cocos caindo perto de minha cabeça e, logo em seguida, passando da comédia à tragédia, me vejo envolvido num assassinato.

Acendeu um cigarro, deu uma longa tragada e disse:

— Não que esse assassinato tenha qualquer coisa a ver comigo. Na verdade, ignoro por que o senhor quer me interrogar.

— O senhor chegou aqui como um estranho, sr. De Sousa...

De Sousa interrompeu:

— E os estranhos são necessariamente suspeitos, não é?

— Não, não, absolutamente, senhor. Não me entenda mal. Seu iate, segundo eu soube, está ancorado em Helmmouth, não?

— Sim, é verdade.

— E veio pelo rio, esta tarde, numa lancha?

— Outra vez, é verdade.

— Ao vir pelo rio, notou à sua direita um pequeno abrigo para barcos, projetando-se por sobre a água, com um telhado rústico e um pequeno ancoradouro embaixo?

De Sousa atirou para trás sua bela cabeça escura e franziu a testa enquanto refletia.

— Deixe-me ver, havia uma enseada e uma pequena casa com telhas, cinzenta.

— Bem mais adiante, no curso do rio, sr. De Sousa, situado no meio das árvores.

— Ah, sim, eu me lembro agora. Um local bastante pitoresco. Não sabia que era o abrigo dos barcos pertencente à casa. Se soubesse, teria ancorado lá meu barco e vindo pela praia. Quando pedi informações, disseram-me para ir até o ancoradouro das barcas atracar no cais ali existente.

— Muito bem. E foi isso que fez?

— Foi o que fiz.

— Não parou no abrigo dos barcos, ou perto dali?

De Sousa abanou a cabeça, negativamente.

—Viu alguém no abrigo dos barcos ao passar?

—Ver alguém? Não. Deveria ter visto alguém?

— Era apenas uma possibilidade. Sabe, sr. De Sousa, a menina assassinada estava no abrigo dos barcos esta tarde. Ela foi morta ali e isto deve ter ocorrido mais ou menos na hora em que o senhor passava.

Outra vez, De Sousa ergueu as sobrancelhas.

— Acha que eu poderia ter sido uma testemunha deste crime?

— O assassinato aconteceu dentro do abrigo dos barcos, mas o senhor poderia ter visto a menina, ela poderia ter espiado pela janela ou saído para a sacada. Se a tivesse visto, de qualquer maneira isto encurtaria para nós o período da morte. Se, quando passou, ela ainda estivesse viva...

— Ah, sim, entendo. Mas por que perguntar *a mim*, particularmente? Muitos barcos chegam a Helmmouth e partem de lá.

São embarcações de cruzeiro. Não param de passar por ali. Por que não perguntar aos ocupantes?

— Nós vamos perguntar — disse o inspetor. — Não se preocupe, nós vamos perguntar. Devo acreditar, então, que nada viu de anormal no abrigo dos barcos?

— Absolutamente nada. Não havia nenhum sinal da presença de alguém ali. Claro que não olhei para lá com nenhuma atenção especial e não passei muito perto. Alguém poderia estar olhando pela janela, como sugeriu, mas, se isto aconteceu, não vi essa pessoa. — Acrescentou, em tom cortês — Sinto muito não poder ajudá-lo.

— Ah, bom — disse o Inspetor Bland, de maneira cordial —, não podemos esperar muita coisa. Há ainda algumas poucas coisas que eu gostaria de saber, sr. De Sousa.

— Sim?

— Está sozinho aqui, ou tem amigos que o acompanham neste cruzeiro?

— Tinha amigos comigo até bem recentemente, mas nos últimos três dias estou sozinho; com a tripulação, naturalmente.

— E o nome de seu iate, sr. De Sousa?

— É *Espérance*.

— Lady Stubbs, pelo que soube, é sua prima?

De Sousa encolheu os ombros.

— Uma prima distante. Não muito próxima. Nas ilhas, compreenda, há muitos casamentos consanguíneos. Somos todos primos uns dos outros. Hattie é prima segunda ou terceira. Não a vejo desde que era praticamente uma menina — catorze, quinze anos.

— E pensou em lhe fazer uma visita de surpresa hoje?

— Não exatamente *de surpresa,* inspetor, pois já escrevera para ela.

— Sei que ela recebeu uma carta sua esta manhã, mas foi uma surpresa para ela saber que o senhor se encontrava neste país.

— Ah, mas o senhor está enganado quanto a isto, inspetor.

Eu escrevi para minha prima... deixe-me ver, há três semanas. Escrevi para ela da França, pouco antes de partir para este país.

O inspetor ficou surpreso.

— O senhor lhe escreveu da França, dizendo-lhe que pretendia visitá-la?

— Sim. Eu lhe disse que ia partir num cruzeiro marítimo, provavelmente chegaríamos em Torquay ou Helmmouth mais ou menos nesta data e eu, mais tarde, lhe comunicaria exatamente quando deveria chegar.

O Inspetor Bland olhou para ele. Esta declaração diferia completamente do que lhe haviam dito sobre a chegada da carta de Etienne de Sousa, durante o café da manhã. De Sousa devolveu seu olhar, calmamente. Com um sorrisinho, ele sacudiu um pouco de pó em seu joelho.

— Lady Stubbs respondeu à sua primeira carta? — perguntou o inspetor.

De Sousa hesitou por um momento, antes de responder, e depois disse:

— É tão difícil lembrar... Não, acho que não. Mas não era necessário. Eu estava viajando, não tinha endereço fixo. E, além disso, não creio que minha prima Hattie escreva cartas muito bem. — Acrescentou: — Ela não é, como sabe, muito inteligente, embora eu suponha que se tenha transformado numa mulher muito bela.

— O senhor não a viu? — Bland formulou a frase como uma pergunta e De Sousa mostrou os dentes, num sorriso amável.

— Ela parece estar absolutamente desaparecida — disse. — Sem dúvida esta *espèce de gala* a entedia.

Escolhendo cuidadosamente as palavras, o Inspetor Bland disse:

— Tem qualquer razão para acreditar, sr. De Sousa, que sua prima possa ter algum motivo para querer evitá-lo?

— Hattie querer me evitar? Realmente, não vejo por quê. Que razão poderia ter?

— É o que estou perguntando, sr. De Sousa.

— Acha que Hattie se ausentou da festa a fim de me evitar? Que ideia absurda.

— Ela não tinha nenhuma razão, pelo que sabe, para ter, vamos dizer, medo do senhor, de alguma maneira?

— Medo? De *mim*? — A voz de De Sousa estava cheia de ceticismo e ironia. — Mas, permita-me dizer isto, inspetor, que ideia fantástica!

— Suas relações com ela foram sempre completamente amistosas?

— É como eu lhe disse. Não tive relações com ela. Não a vejo desde que era uma criança de catorze anos.

— E, no entanto, procura-a ao vir à Inglaterra?

— Se quer saber, li um tópico sobre ela num dos jornais sociais deste país. Mencionava seu nome de solteira e dizia que se casara com este rico inglês. Pensei: "Tenho de ver em que se transformou a Hattiezinha; se sua cabeça funciona agora melhor do que antigamente". — Ele encolheu os ombros outra vez. — Foi uma mera cortesia de primo. Uma curiosidade gentil, nada mais.

Outra vez, o inspetor olhou penetrantemente para De Sousa. O que, ele imaginava, realmente se passava por trás daquela fachada zombeteira e amena? Adotou um tom mais confidencial.

— Será que não poderia, talvez, me dizer um pouco mais a respeito de sua prima? Seu caráter, suas reações?

De Sousa pareceu polidamente surpreso.

— Em verdade, será que isto tem alguma coisa a ver com o assassinato da menina, no abrigo dos barcos, a verdadeira questão, pelo que sei, com a qual se ocupa o senhor?

— Poderá ter uma ligação — disse o Inspetor Bland.

De Sousa observou-o por alguns momentos, em silêncio. Depois disse, com um leve encolher de ombros:

— Jamais conheci minha prima muito bem. Ela era membro de uma grande família e não me interessava particularmente. Mas, em resposta à sua pergunta, eu diria que, embora mentalmente deficiente, ela jamais foi, pelo que eu saiba, dominada por tendências homicidas.

— Ora, sr. De Sousa, eu não estava sugerindo isso!

— Ah, não? Fico imaginando. Não posso ver nenhuma outra razão para sua pergunta. Não, a menos que Hattie tenha mudado muito, ela não é uma assassina! — Ele se levantou. — Estou certo de que não pode me perguntar mais nada, inspetor. Só posso desejar-lhe o maior sucesso na descoberta do criminoso.

— O senhor não está pensando em partir de Helmmouth antes de mais uns dois dias, eu espero, sr. De Sousa.

— Fala com muita polidez, inspetor. É uma ordem?

— Apenas um pedido, senhor.

— Obrigado. Pretendo permanecer em Helmmouth por dois dias. Sir George muito gentilmente me convidou para vir ficar na casa, mas eu prefiro continuar no *Espérance*. Se quiser me fazer outras perguntas, é onde me encontrará.

Fez uma polida curvatura.

P. C. Hoskins abriu a porta, e ele saiu.

— Sujeito antipático — murmurou o inspetor para si mesmo.

— Aah — disse P. C. Hoskins, em completa concordância.

— Diga que ela é homicida, se quiser — prosseguiu o inspetor, falando para si próprio. — Por que iria atacar uma menina qualquer? Não faz o menor sentido.

— Nunca se sabe, com essas pessoas malucas — disse Hoskins.

— A questão é saber realmente até que ponto ela é maluca.

Hoskins abanou a cabeça, com sapiência.

— Tem um Q.I. baixo, imagino — disse.

O inspetor olhou para ele aborrecido.

— Não me venha com essas expressões da moda, feito um papagaio. Não me interessa se ela tem um Q.I. alto ou um Q.I. baixo. Tudo que me interessa é saber se é do tipo de mulher que acharia divertido, ou desejável, ou necessário, colocar um cordão em torno do pescoço de uma menina e estrangulá-la. E, puxa vida, onde *está* a mulher, afinal? Vá ver como o Frank está se saindo.

Hoskins saiu, obedientemente, e voltou alguns momentos mais tarde com o Sargento Cottrell, um jovem ativo, com uma boa opinião de si próprio, que sempre conseguia aborrecer seu superior. O Inspetor Bland preferia muito a sabedoria rural de Hoskins à atitude esperta de sabe-tudo que tinha Frank Cottrell.

— Ainda estamos fazendo uma busca na propriedade, senhor — disse Cottrell. — Lady Stubbs não atravessou os portões, temos certeza disso. É o jardineiro quem está entregando os bilhetes e recebendo o dinheiro da entrada. Ele jura que ela não saiu.

— Há outras maneiras de sair que não pelo portão principal, não é?

— Sim, senhor. Há o caminho que vai até a ferrovia, mas o velho que fica ali, Merdell, ele se chama, também diz, de maneira bastante positiva, que ela não saiu por aquele caminho. Ele tem uns cem anos, mas ainda se pode confiar plenamente no que diz, eu creio. Ele descreveu muito bem como o senhor estrangeiro chegou em sua lancha e perguntou o caminho para a mansão Nasse. O velho lhe disse que ele deveria subir a estrada até o portão e pagar entrada. Mas disse que o cavalheiro de nada sabia a respeito da festa e afirmou ser um parente da família. Então o velho indicou-lhe a estrada que vem da ferrovia, atravessando o bosque. Merdell parece ter ficado ali pelo cais a tarde inteira, e então teria absoluta certeza de ter visto a senhora, se ela tivesse passado por aquele caminho. Há também o portão superior, que dá para os campos de Hoodown Park, mas foi fechado com arame farpado, por causa dos invasores, e então ela não pode ter atravessado por ali. Parece que ainda deve estar aqui, não é?

— Talvez — disse o inspetor —, mas não há nada que a impeça, não é mesmo, de passar por baixo de uma moita e sair pelo campo. Sir George, pelo que sei, ainda se queixa da presença de invasores aqui, vindos do albergue próximo. Se alguém pode entrar como os invasores entram, então pode sair do mesmo jeito, suponho.

— Ah, sim, senhor, sem dúvida. Mas falei com a camareira dela, senhor. Ela está usando — Cottrell consultou um papel que tinha na mão — um vestido de *crêpe georgette* ciclame, um grande chapéu negro, sapatos de tafetá negro, com saltos de quatro polegadas. Não é o tipo de coisa que alguém usaria para uma corrida pelos campos:

— Ela não mudou de roupa?

— Não. Consultei a camareira. Nada está faltando, absolutamente nada. Ela não arrumou nenhuma valise, nada desse tipo. Nem mesmo trocou os sapatos. Todos os pares estão lá, contados.

O Inspetor Bland franziu a testa. Possibilidades desagradáveis vinham-lhe à mente. Ele disse, laconicamente:

— Tragam-me outra vez aquela secretária, Bruce; sei lá como é o nome dela.

II

A srta. Brewis entrou com um aspecto um pouco mais agitado do que o habitual, e meio sem fôlego.

— Sim, inspetor? — disse. — Queria falar comigo? Se não for urgente, Sir George está num estado de espírito terrível e...

— Por que ele está assim?

— Acaba de se dar conta de que Lady Stubbs está — bem, na verdade, ela está desaparecida. Eu lhe disse que ela, provavelmente, só saiu para dar um passeio no bosque, ou algo parecido, mas ele meteu na cabeça que alguma coisa aconteceu com ela. É *completamente* absurdo.

— Talvez não seja tão absurdo, srta. Brewis. Afinal, já tivemos um assassinato aqui, esta tarde.

— Com certeza não pensa que Lady Sttubs? — Mas é ridículo! Lady Stubbs sabe cuidar de si própria.

— Sabe?

— Claro que sabe! É uma mulher adulta, não?

— Mas meio desamparada, segundo as opiniões gerais.

— Tolice — disse a srta. Brewis. — Convém a Lady Stubbs, de vez em quando, fazer o papel de tola desamparada, para ficar sem fazer nada. Engana o marido, mas não engana *a mim!*

— Não gosta muito dela, não é verdade, srta. Brewis? — a voz de Bland tinha um tom de interesse gentil.

Os lábios da srta. Brewis se fecharam numa linha estreita.

— Não vem ao caso se gosto dela ou não — disse.

A porta foi aberta com um empurrão e Sir George entrou.

— Escute — disse, com violência —, precisa fazer alguma coisa. Onde está Hattie? Precisa encontrar Hattie. Não sei que diabo está acontecendo aqui. Esta maldita festa; algum louco assassino entrou, pagando sua meia coroa, com aspecto tão normal quanto o de todo mundo, e está passando a tarde a dar voltas por aí e a matar pessoas. Minha impressão é essa.

— Não creio que seja necessário adotar um ponto de vista tão exagerado como esse, Sir George.

— Por que ninguém me disse que ela desapareceu? Já está sumida há algumas horas, parece. Achei esquisito ela não aparecer para julgar o concurso de Fantasias Infantis, mas ninguém me disse que tinha sumido.

— Ninguém sabia — disse o inspetor.

— Bom, alguém devia saber. Alguém devia ter notado.

Ele se virou para a srta. Brewis.

— Você devia saber, Amanda, você estava supervisionando tudo.

— Não posso estar em toda parte — disse a srta. Brewis. De repente, a voz dela parecia chorosa. — Tenho tanta coisa para cuidar. Se Lady Stubbs preferiu se afastar...

— Afastar-se? Por que ela iria se afastar? Não tinha nenhuma razão para se afastar, a não ser que quisesse escapar daquele sujeitinho moreno.

Bland aproveitou a oportunidade.

— Há uma coisa que quero lhe perguntar — disse.

— Sua esposa recebeu uma carta do sr. De Sousa há cerca de três semanas, dizendo que vinha para este país?

Sir George parecia espantado.

— Não, claro que não.

— Tem certeza?

— Ah, absoluta. Hattie teria me dito. Ora, ela ficou completamente pasma e perturbada, quando recebeu a carta dele, hoje de manhã. Foi um choque para ela. Passou quase a manhã inteira deitada, com dor de cabeça.

— O que ela lhe disse, em particular, a respeito da visita do primo? Por que temia tanto vê-lo?

Sir George pareceu meio embaraçado.

— Por Deus que não sei — disse. — Ela só ficou dizendo que ele era mau.

— Mau? Em que sentido?

— Não explicou direito. Simplesmente continuou, como uma criança, a dizer que ele era um homem mau. Ruim. E que não queria que ele viesse para cá. Disse que ele tinha feito coisas ruins.

— Tinha feito coisas ruins? Quando?

— Ah, muito tempo atrás. Imagino que esse Etienne de Sousa era a ovelha negra da família, e que Hattie ouviu coisas a respeito dele, durante a infância, sem entender direito. E, por causa disso, ficou com uma espécie de horror a ele. Eu próprio achei que fosse apenas uma lembrança infantil. Minha mulher é um tanto infantil, às vezes. Tem gostos e aversões que não sabe explicar.

— Tem certeza de que ela não particularizou, de alguma maneira, Sir George?

Sir George parecia pouco à vontade.

— Eu não queria que o senhor tomasse ao pé da letra... Ahn, o que ela disse.

— Então ela disse alguma coisa.

— Está bem. Vou contar. O que ela disse foi, e repetiu· isto várias vezes, "Ele mata pessoas".

10

"ELE MATA PESSOAS", repetiu o Inspetor Bland.

— Não creio que deva levar isso muito a sério — disse Sir George. — Ela repetiu a frase várias vezes, "Ele mata pessoas", mas não conseguiu me dizer quem ele tinha matado, quando ou por quê. Pensei comigo que era apenas alguma lembrança estranha, infantil, problemas com os nativos, alguma coisa assim.

— O senhor diz que ela não foi capaz de lhe informar nada definido — quer dizer mesmo *não foi capaz,* Sir George — ou não poderia ter sido, *não quis?*

— Não creio... — Ele parou. — Não sei. O senhor me deixou confuso. Como falei, eu não levei nada disso a sério. Pensei que esse primo talvez a incomodasse quando ela era menina — alguma coisa assim. É difícil lhe explicar, porque não conhece minha mulher. Sou dedicado a ela, mas metade do tempo não escuto o que diz porque, simplesmente, não faz sentido. De qualquer maneira, esse sujeito, De Sousa, não poderia ter tido nada a ver com tudo isso. Não me diga que ele chegou aqui de iate e atravessou o bosque diretamente para matar uma inocente Guia, num abrigo de barcos. Por que faria isso?

— Não estou sugerindo que nada disso aconteceu — disse o Inspetor Bland —, mas deve perceber, Sir George, que, ao procurar o assassino de Marlene Tucker, o campo é mais restrito do que se poderia pensar de início.

— Restrito! — Sir George arregalou os olhos. — Pode escolher qualquer pessoa no meio da festa inteira, não é?

Duzentas, trezentas, pessoas? Qualquer um dos presentes poderia ter feito aquilo.

— Sim, também pensei isso no início mas, pelo que sei agora, é muito difícil que tenha sido assim. A porta do abrigo dos barcos tem uma fechadura Yale. Ninguém poderia entrar sem uma chave.

— Bom, há três chaves.

— Exatamente. Uma chave era a pista final nessa Caçada ao Assassino. Ainda está escondida no caminho das hortênsias, lá no alto do jardim. A segunda chave estava com a sra. Oliver, a organizadora da Caçada ao Assassino. Onde está a terceira chave, Sir George?

— Deve estar na gaveta dessa escrivaninha, onde se encontra sentado. A gaveta da direita, com uma porção de outras duplicatas de fechaduras da propriedade.

Ele se aproximou e revirou o interior da gaveta.

— Sim. Aqui está.

— Então, percebe — disse o Inspetor Bland — o que isto significa? As únicas pessoas que poderiam ter entrado no abrigo dos barcos seriam: primeiro, aquela que completasse a Caçada ao Assassino e achasse a chave, e isto, pelo que sabemos, não aconteceu; segundo, a sra. Oliver, ou algum membro da casa a quem ela pudesse ter emprestado sua chave e; terceiro, alguém *a quem a própria Marlene deixasse entrar na sala.*

— Bom, esse último item abrange a todos também, não?

— De maneira alguma — disse o Inspetor Bland. — Se entendi corretamente a organização dessa Caçada ao Assassino, quando a menina ouvisse qualquer pessoa aproximando-se da porta deveria deitar-se, desempenhar o papel da Vítima e esperar ser descoberta pela pessoa que tivesse encontrado a última pista, a chave. Portanto, como pode verificar por si mesmo, as únicas pessoas a quem teria deixado entrar, se a chamassem de fora e lhe pedissem para fazer isso, *seriam as pessoas que organizaram a Caçada ao Assassino.* Qualquer morador, ou seja, uma pessoa da casa, e isto significa o senhor mesmo, Lady Stubbs, a srta. Brewis, a sra. Oliver — possivelmente o sr. Poirot, a quem, segundo creio, ela encontrou esta manhã. Quem mais, Sir George?

Sir George ficou pensando por alguns momentos.

— Os Legge, naturalmente — disse ele. — Alec e Sally Legge. Estiveram envolvidos desde o início. E Michael Weyman, o arquiteto que está hospedado na casa, para projetar um pavilhão de tênis. E Warburton, os Masterton e... ah, e a sra. Folliat, naturalmente.

— É tudo? Mais ninguém?

— O grupo é esse.

— Então, Sir George, vê que o campo não é muito extenso.

O rosto de Sir George ficou muito vermelho.

—Acho que está dizendo tolices, absolutas tolices. Está sugerindo... o que está sugerindo?

— Estou apenas sugerindo — disse o Inspetor Bland — que existem muitas coisas ainda ignoradas por *nós*. É possível, por exemplo, que Marlene, por alguma razão, tenha *saído* do abrigo dos barcos. Ela pode até ter sido estrangulada em algum outro lugar, e seu corpo trazido de volta e colocado no chão. Mas mesmo assim quem a ajeitou foi alguém inteiramente conhecedor dos detalhes da Caçada ao Assassino. Sempre voltamos a este ponto. — Ele acrescentou, com uma voz levemente modificada. — Posso garantir-lhe, Sir George, que estamos fazendo todo o possível para encontrar Lady Stubbs. Enquanto isso, eu gostaria de falar rapidamente com o sr. e a sra. Legge e com Michael Weyman.

— Amanda.

—Vou ver o que posso fazer a respeito, inspetor — disse a srta. Brewis. — Espero que a sra. Legge ainda esteja lendo a mão na tenda. Entrou uma porção de gente, depois que o preço, a partir das cinco horas, sofreu uma redução, e todas as barracas estão muito concorridas. Provavelmente, conseguirei trazer o sr. Legge ou o sr. Weyman para conversar com o senhor, quem quiser ver em primeiro lugar.

— A ordem das conversas não tem a menor importância — disse o Inspetor Bland.

A srta. Brewis fez um sinal de assentimento com a cabeça e saiu da sala. Sir George seguiu-a, falando com ela em voz alta e queixosa:

— Escute, Amanda, você precisa...

O Inspetor Bland percebeu que Sir George dependia muito da eficiente srta. Brewis. Na verdade, naquele momento, Bland achava que o dono da casa mais parecia um menininho.

Enquanto esperava, o Inspetor Bland pegou o telefone, pediu uma ligação com a delegacia de Helmmouth e fez alguns acertos referentes ao iate *Espérance*.

— Percebe, eu creio — disse ele a Hoskins, obviamente incapaz por completo de perceber qualquer coisa do gênero — que existe apenas um lugar onde é perfeitamente possível estar aquela maldita mulher; a bordo do iate de De Sousa.

— Como chegou a essa conclusão, senhor?

— A mulher não foi vista saindo por nenhuma das passagens habituais, está vestida de maneira que torna improvável que se encontre caminhando pelo campo ou através dos bosques, mas é perfeitamente possível que tenha encontrado De Sousa, após combinar previamente, ali mesmo no abrigo dos barcos, e que ele a tenha levado de lancha para o iate, voltando em seguida à festa.

— E por que ele faria isso, senhor?

— Não tenho a menor ideia — disse o inspetor — e é muito pouco provável que ele tenha feito isso. Mas é uma *possibilidade*. E, se ela *estiver* no *Espérance,* vou tratar de impedir que fuja de lá sem ser observada.

— Mas, se a beldade nem sequer queria vê-lo... — Hoskins deixou escapar.

— Tudo que sabemos é que ela *disse* isso. As mulheres — disse o inspetor, judiciosamente — dizem uma porção de mentiras. Lembre-se sempre disso, Hoskins.

— Ahhh — disse o Delegado Hoskins, apreciativamente.

II

A conversa não pôde continuar porque a porta se abriu e entrou um rapaz alto, de olhar um tanto vago.

Usava um terno limpo, de flanela cinzenta, mas o colarinho de sua camisa estava amassado, a gravata enviesada, e ele tinha o cabelo todo despenteado.

— Sr. Alec Legge? — perguntou o inspetor, erguendo os olhos.

— Não — disse o jovem —, sou Michael Weyman. Soube que queria falar comigo.

— É verdade, senhor — disse o Inspetor Bland. — Não quer sentar-se? — indicou uma cadeira do outro lado da mesa.

— Não faço questão de me sentar — disse Michael Weyman. — Gosto de caminhar de um lado para outro. O que está a polícia fazendo aqui? O que aconteceu?

— Sir George não o informou, senhor? — perguntou.

— Ninguém "me informou", como diz, de nada. Não vivo colado a Sir George. O *que* aconteceu?

— Está hospedado na casa, não?

— Claro que estou hospedado na casa. O que tem a ver com o caso?

— Simplesmente imaginei que todas as pessoas hospedadas na casa já tivessem, a esta altura, sido informadas da tragédia desta tarde.

— Tragédia? Que tragédia?

— A menina que fazia o papel da vítima do assassino foi morta.

— Não! — Michael Weyman parecia exuberantemente surpreso. — Quer dizer que foi realmente assassinada? Nada de falsificação?

— Ignoro o que quer dizer com falsificação. A menina está morta.

— Como foi assassinada?

— Foi estrangulada com um pedaço de cordão.

Michael Weyman deu um assobio.

— Exatamente como estava previsto na história? Bom, bom, isso deixa a gente com a cabeça fervendo. — Caminhou até a janela, virou-se rapidamente e disse: — Então estamos todos sob suspeita, não? Ou foi um dos garotos locais?

— Não vemos como poderia ter sido um dos garotos locais, como diz — falou o inspetor.

— Nem eu, tampouco — disse Michael Weyman. — Bom, inspetor, muitos de meus amigos me chamam de louco, mas não sou um louco desse tipo. Não saio pelo campo afora estrangulando jovenzinhas sardentas.

— O senhor está aqui, pelo que soube, sr. Weyman, projetando um pavilhão de tênis para Sir George?

— Uma ocupação inocente — disse Michael. — Em termos criminais, quero dizer. Do ponto de vista arquitetônico, não tenho tanta certeza assim. O produto apresentado provavelmente representará um crime contra o bom gosto. Mas isso não lhe interessa, inspetor. O *que* lhe interessa?

— Bom, gostaria de saber, sr. Weyman, exatamente onde se encontrava, entre as quatro e quinze, esta tarde, digamos, as cinco horas.

— Como sabe que foi a essa hora? Baseia-se no relatório médico?

— Não inteiramente, senhor. Uma testemunha viu a menina viva às quatro e quinze.

— Que testemunha? Eu não tenho o direito de perguntar?

— A srta. Brewis. Lady Stubbs pediu-lhe para levar uma bandeja com bolinhos e refresco de fruta para a menina.

— A nossa Hattie lhe pediu isso? Não consigo acreditar, de maneira alguma.

— Por que não acredita, sr. Weyman?

— Ela não age assim. Não é o tipo de coisa em que pensaria, ou que fosse preocupá-la. A mente da querida Lady Stubbs só gira em torno de si própria.

— Ainda estou esperando, sr. Weyman, que responda à minha pergunta.

— Onde eu estava, entre as quatro e quinze e as cinco horas? Bom, realmente, inspetor, não posso dizer assim de repente. Eu estava por aí — se entende o que quero dizer.

— Por aí, onde?

— Ah, aqui e acolá. Caminhei entre a multidão no gramado, observei os moradores locais divertindo-se, conversei um pouquinho com a alvoroçada artista de cinema. Depois, quando cansei de tudo, segui até a quadra de tênis e fiquei pensando sobre o projeto para o pavilhão. Também fiquei imaginando quanto tempo alguém demoraria para identificar a fotografia, que era a primeira pista da Caçada ao Assassino, um pedaço de rede de tênis.

— Alguém identificou?

— Sim, acredito que alguém conseguiu, mas eu já não estava mais prestando atenção. Tive uma ideia a respeito do pavilhão, uma forma de conciliar, da melhor maneira possível, os dois pontos de vista opostos. O meu e o de Sir George.

— E depois?

— Depois? Bom, dei uma caminhada e voltei para a casa. Caminhei pelo cais e bati um papo com o velho Merdell, em seguida voltei. Não posso determinar com exatidão a que horas tudo isso aconteceu. Eu estava, como disse de início, *por aí!* É tudo que posso dizer.

— Bom, sr. Weyman — disse o inspetor, laconicamente —, espero que seja possível confirmar tudo isso.

— Merdell pode dizer-lhe que conversei com ele no cais. Mas, claro, deve ter sido mais tarde do que a hora na qual está interessado. Devo ter chegado ali depois das cinco. Muito insatisfatório, não é inspetor?

— Conseguiremos precisar tudo isso, segundo espero, sr. Weyman.

O tom do inspetor era cordial, mas havia nele algo implacável, que não escapou ao jovem arquiteto. Ele se sentou no braço de uma cadeira.

— Falando sério — disse —, quem pode ter desejado matar aquela menina?

— Não tem alguma ideia, sr. Weyman?

— Bom, assim de repente, eu diria que foi nossa prolífica escritora, o Perigo Purpurino. Viu seu traje púrpura imperial? Sugiro que ela extrapolou um pouco e pensou como seria muito melhor se a Caçada ao Assassino tivesse um cadáver *de verdade*. Que tal?

— É uma sugestão séria, sr. Weyman?

— É a única probabilidade em que posso pensar.

— Há uma outra coisa que gostaria de lhe perguntar, sr. Weyman. Viu Lady Stubbs durante o curso da tarde?

— Claro que a vi. Quem poderia deixar de vê-la? Vestida como um manequim de Jacques Fath ou Christian Dior?

— Quando a viu pela última vez?

— A última? Não sei. Estava fazendo pose no gramado, por volta das três e meia, ou quinze para as quatro, talvez.

— E não a viu mais, depois disso?

— Não. Por quê?

— Depois das quatro, segundo parece, ninguém mais a viu. Lady Stubbs desapareceu, sr. Weyman.

— Desapareceu? A nossa Hattie?

— Isso o surpreende?

— Sim, é verdade... Em que estará metida, fico imaginando.

— Conhecia bem Lady Stubbs, sr. Weyman?

— Jamais a vi antes de vir para cá, há quatro ou cinco dias.

— Formou sobre ela alguma opinião?

— Eu diria que ela sabe cuidar muito bem dos seus interesses, melhor do que a maioria das pessoas — disse Michael Weyman com secura. — Uma moça muito decorativa, e sabe como tirar partido disso.

— Mas mentalmente não muito ativa. É verdade isso?

— Depende do que quer dizer com mentalmente — disse Michael Weyman. — Eu não a descreveria como uma intelectual. Mas, se acha que ela não regula bem, está enganado. — Sua voz tomou um tom de amargura. — Eu diria que ela regula muito bem. Ninguém melhor do que ela.

As sobrancelhas do inspetor se ergueram.

— Não é esta a opinião geral.

— Por alguma razão obscura, ela gosta de fazer o papel da tolinha apagada. Não sei por quê. Mas, como comentei antes, em minha opinião, ela regula muito bem.

O inspetor observou-o por um momento e depois disse:

— E, realmente, não pode se aproximar mais dos horários e locais exatos, no período que mencionei?

— Sinto muito. — Weyman falava aos arrancos. — Lamento, mas acho que não posso. Minha memória é péssima, jamais consegui me lembrar bem de horários e datas. — Acrescentou. — Acabaram as perguntas?

Quando o inspetor fez um sinal afirmativo com a cabeça, ele saiu da sala rapidamente.

— E eu gostaria de saber — disse o inspetor, falando mais ou menos para si mesmo — o que houve entre ele e a Lady. Ou ele lhe deu uma cantada e ela recusou, ou houve alguma espécie de desentendimento. — Ele prosseguiu: — Em sua maneira de ver, qual diria que era a opinião geral, por aqui, a respeito de Sir George e sua *"lady"*?

— Ela é idiota.

— Sei que pensa assim, Hoskins. Mas este é o ponto de vista aceito por todos?

— Creio que sim.

— E Sir George? Ele é estimado?

— Bastante estimado. É um bom esportista e sabe algo a respeito de agricultura. A velha senhora ajudou um bocado.

— Que velha senhora?

— A sra. Folliat, que vive na casa do porteiro.

— Ah, sim. Os Folliat eram proprietários do local, não?

— Sim, e foi graças à velha senhora que Sir George e Lady Stubbs foram tão bem aceitos. Ela os apresentou a todos os grã-finos.

— Acha que foi paga para isso?

— Ah, não, a sra. Folliat, não. — A voz de Hoskins manifestava choque. — Soube que ela conhecia Lady Stubbs antes do casamento e foi ela quem convenceu Sir George a comprar a propriedade.

— Terei de conversar com a sra. Folliat — disse o inspetor.

— Ah, é uma velha dama muito inteligente. Quando acontece alguma coisa, ela sempre sabe de tudo.

— Preciso falar com ela — disse o inspetor. — Onde estará agora?

11

A SRA. FOLLIAT, naquele momento, estava sendo interrogada por Hercule Poirot, na grande sala de visitas. Ele a descobrira ali, recostada numa cadeira, a um canto da sala. Ela teve um sobressalto nervoso quando ele entrou. Então, voltando a se reclinar, murmurou:

— Ah, é o senhor, Monsieur Poirot.
— Peço desculpas, Madame. Eu a perturbei.
— Não, não, o senhor não me perturba. Estou apenas descansando, é tudo. Não sou mais tão jovem. O choque foi demais para mim.
— Compreendo — disse Poirot. — Realmente compreendo.

A sra. Folliat, com um lenço apertado em sua pequena mão, estava olhando para o teto. Ela disse, com uma voz abafada pela emoção:

— Não suporto nem pensar nisso. Aquela pobre menina. Aquela pobrezinha...
— Eu sei — disse Poirot. — Eu sei.
— Tão jovem — disse a sra. Folliat; — bem no começo da vida. — Ela disse novamente: — Não suporto nem pensar nisso.

Poirot olhou-a, com curiosidade. Ela parecia, pensou, ter envelhecido dez anos, desde o início da tarde, quando a vira como amável anfitriã, dando as boas-vindas aos convidados. Agora, seu rosto parecia contraído e desfigurado, com as rugas nitidamente marcadas.

— Ainda ontem a senhora me dizia, Madame, que este mundo é muito mau.

— Eu disse isso? — a sra. Folliat parecia espantada. — É verdade... Ah, sim, mal estou começando a saber como isto é verdade. — Acrescentou em voz baixa: — Mas nunca pensei que uma coisa dessas fosse acontecer.

Outra vez ele a olhou com curiosidade.

— O que esperava que acontecesse, então? Alguma coisa?

— Não, não, eu não quis dizer isso.

Poirot insistiu.

— Mas esperava que *algo* acontecesse — algo fora do comum.

— O senhor está me entendendo mal, Monsieur Poirot. Eu apenas quis dizer que era a última coisa que se poderia esperar acontecer, no meio de uma festa como esta.

— Lady Stubbs, hoje de manhã, também falou de maldade.

— Hattie fez isso? Oh, não me fale dela — não me fale dela. Não quero pensar a respeito dela. — Ficou em silêncio, durante alguns momentos, e então perguntou: — O que disse ela a respeito de maldade?

— Estava falando de seu primo, Etienne de Sousa. Ela disse que era mau, um homem ruim. Também disse que tinha medo dele.

Ele ficou observando-a, mas ela apenas abanou a cabeça, com incredulidade.

— Etienne de Sousa — quem é ele?

— Claro, a senhora não estava no café da manhã. Esqueci, sra. Folliat. Lady Stubbs recebeu uma carta desse primo seu, a quem não via desde que era uma mocinha de quinze anos. Ele lhe dizia que pretendia visitá-la hoje, esta tarde.

— E ele veio?

— Sim, chegou aqui cerca das quatro e meia.

— Certamente refere-se àquele jovem moreno, bastante simpático, que chegou pelo caminho das balsas? Fiquei imaginando quem seria, na ocasião.

— Sim, Madame, aquele era De Sousa.

A sra. Folliat disse, energicamente:

— Se eu fosse o senhor não prestaria atenção alguma às coisas que Hattie diz. — Corou, quando Poirot olhou surpreendido para ela, e prosseguiu: — Ela é como uma criança; quer dizer, emprega expressões infantis, malvado, bom. Não tem meios-termos. Eu não prestaria atenção nenhuma ao que ela lhe diz a respeito desse Etienne de Sousa.

Poirot ficou meditando. Disse devagar:

— Conhece Lady Stubbs muito bem, não é verdade, sra. Folliat?

— Provavelmente, tão bem quanto alguém chegou jamais a conhecê-la. É possível que melhor do que o seu marido a conhece. E então?

— Como é ela, realmente, Madame?

— Que pergunta estranha, Monsieur Poirot.

— Sabe, não é verdade, Madame, que Lady Stubbs não é encontrada em parte alguma?

Outra vez, a resposta o surpreendeu. Ela não manifestou nenhuma preocupação, nem espanto. Disse:

— Então ela fugiu, não foi? Entendo.

— Parece-lhe muito natural, isso?

— Natural? Ah, não sei. Hattie é bastante esquisita.

— Acha que fugiu porque está se sentindo culpada?

— O que quer dizer, Monsieur Poirot?

— O primo dela conversava a seu respeito, esta tarde. Ele mencionou, casualmente, que ela sempre foi mentalmente anormal. Acho que deve saber, Madame, as pessoas mentalmente anormais nem sempre são responsáveis por suas ações.

— O que está tentando dizer, Monsieur Poirot?

— Essas pessoas são, como diz, muito simples, como crianças. Num súbito acesso de raiva, podem até matar.

A sra. Folliat virou-se para ele, com repentina raiva.

— Hattie nunca foi assim! Não permitirei que diga essas coisas. Ela era uma moça gentil, de bom coração, mesmo sendo um tanto simples, mentalmente. Hattie jamais mataria *ninguém*.

Ela o encarou, respirando forte, ainda indignada.

Poirot ficou pensando. Ficou pensando muito.

II

Invadindo a cena, P. C. Hoskins apareceu. Disse, em tom de quem se desculpa:

— Estava procurando a senhora, Madame.

— Boa-noite, Hoskins. — A sra. Folliat reassumiu outra vez sua pose, a patroa da mansão Nasse. — Sim, o que há?

— O inspetor envia seus cumprimentos e gostaria de conversar um pouquinho com a senhora caso se sinta em condições — Hoskins apressou-se em acrescentar, sem procurar aproveitar, como tinha feito Hercule Poirot, os efeitos do choque.

— É claro que estou em condições. — A sra. Folliat levantou-se. Seguiu Hoskins e saiu da sala. Poirot, que se erguera polidamente, voltou a sentar-se e ficou olhando para o teto, com a testa franzida e um ar de perplexidade.

O inspetor levantou-se, quando a sra. Folliat entrou, e puxou uma cadeira para que se sentasse.

— Desculpe perturbá-la, sra. Folliat — disse Bland. — Mas creio que conhece todas as pessoas nas vizinhanças e acho que poderá nos ajudar.

A sra. Folliat sorriu levemente.

— Espero — disse — conhecer todos aqui o melhor possível. O que espera saber, inspetor?

— Conhece os Tucker? A família e a menina?

— Ah, sim, claro, eles sempre foram arrendatários na propriedade. A sra. Tucker era a mais jovem entre muitos irmãos. Seu irmão mais velho era nosso jardineiro-chefe. Ela se casou com Alfred Tucker, um trabalhador rural, homem estúpido, mas muito boa pessoa. A sra. Tucker é muito severa. Uma boa dona de casa, sabe, e mantém tudo muito limpo, mas Tucker não tem jamais permissão de passar da copa, quando está com as botas enlameadas. Esse tipo de coisa. Ela atormenta um pouco os filhos. A maior parte deles já está casada e empregada. Em casa havia apenas essa pobre menina, Marlene, e três crianças menores. Dois meninos e uma menina, que ainda vão à escola.

— Agora, conhecendo a família como conhece, sra. Folliat, pode imaginar alguma razão pela qual Marlene pudesse ser assassinada hoje?

— Não, na verdade, não posso. É completamente inacreditável, se entende o que quero dizer, inspetor. Não havia nenhum namorado, nada desse tipo, senão eu não pensaria assim. Pelo menos, de nada ouvi falar.

— E quanto às pessoas que tomaram parte nessa Caçada ao Assassino? Pode dizer-me alguma coisa a respeito delas?

— Bom, a sra. Oliver eu nunca tinha visto antes. Ela é completamente diferente da ideia que eu fazia de uma escritora de romance policiais. Está muito perturbada, coitada, com o que aconteceu, naturalmente.

— E quanto aos outros auxiliares? O capitão Warburton, por exemplo?

— Não vejo nenhuma razão pela qual pudesse matar Marlene Tucker, se é isto que me pergunta — disse a sra. Folliat, com serenidade. — Não gosto muito dele. É o que chamo um tipo de homem matreiro, mas suponho que a pessoa tem de estar pronta para enfrentar todos os truques da política, e esse gênero de coisas, quando se é secretário de um político. É certamente enérgico e trabalhou muito para a festa. Não creio que *pudesse* ter assassinado a menina, de qualquer maneira, ele estava no gramado o tempo todo durante a tarde.

O inspetor fez um sinal de assentimento com a cabeça.

— E os Legge? O que sabe a respeito dos Legge?

— Bom, eles parecem um jovem casal muito simpático. Ele é propenso ao que eu chamaria de depressão. Não sei muita coisa a seu respeito. O sobrenome dela era Carstairs antes do casamento e conheço muito bem algumas de suas amizades. Eles alugaram o chalé Mills durante dois meses e espero que tenham aproveitado as férias aqui. Todos nos tornamos muito amigos.

— Ela é uma senhora atraente, segundo soube.

— Ah, sim, muito atraente.
— Diria que, em alguma ocasião, Sir George sentiu essa atração?
A sra. Folliat parecia muito espantada.
— Ah, não tenho certeza de que não houve nada disso. Sir George é um homem realmente absorvido pelos seus negócios e gosta muito de sua mulher. Não é, absolutamente, um namorador.
— E não havia nada, em sua opinião, entre Lady Stubbs e o sr. Legge?
Outra vez, a sra. Folliat abanou a cabeça.
— Ah, não, positivamente.
O inspetor insistiu.
— Jamais chegou ao seu conhecimento algum tipo de problema entre Sir George e sua mulher?
— Tenho certeza de que não — disse a sra. Folliat, enfaticamente. — Se houvesse, eu saberia.
— Não poderia, então, ser por causa de algum desacordo entre marido e mulher que Lady Stubbs foi embora?
— Ah, não. — Ela acrescentou, em tom de brincadeira — A menininha tola, pelo que sei, não queria encontrar o primo. Algum medo infantil. Então fugiu, exatamente como uma criança.
— Essa é sua opinião? Nada mais do que isso?
— Ah, não. Espero que volte logo. E se sentindo envergonhada de si própria. — Acrescentou, cuidadosamente: — A propósito, o que será feito com o primo? Ainda está aqui na casa?
— Pelo que sei, voltou ao iate.
— Lá em Helmmouth, não?
— Sim, em Helmmouth.
— Entendo — disse a sra. Folliat. — Ora, é bem desagradável que Hattie se comporte de maneira tão infantil. Entretanto, se ele vai ficar aqui por uns dois dias, então podemos fazê-la ver que deve comportar-se de maneira conveniente.
Ela estava, o inspetor pensou, fazendo uma pergunta, mas, embora notasse, não respondeu.

— A senhora está, provavelmente, pensando — ele disse — que tudo isso não vem ao caso. Mas compreende, não é, sra. Folliat, que temos de agir num campo bastante amplo. A srta. Brewis, por exemplo. O que sabe a respeito da srta. Brewis?

— É uma excelente secretária. Mais do que uma secretária. Praticamente, funciona aqui como uma governanta. Na verdade, não sei o que fariam sem ela.

— Era secretária de Sir George antes que ele se casasse?

— Acho que sim. Não tenho certeza. Só a conheci quando veio para cá com eles.

— Ela não gosta muito de Lady Stubbs, não é?

— Não — disse a sra. Folliat. — Temo que não. E não creio que essas boas secretárias gostem jamais das esposas, entende o que quero dizer, não? Talvez seja uma coisa natural.

— Foi a senhora, ou foi Lady Stubbs, quem pediu à srta. Brewis para levar bolos e um refresco para a menina, no abrigo dos barcos?

A sra. Folliat pareceu ligeiramente surpreendida.

— Lembro-me de ter visto a srta. Brewis pegando alguns bolinhos e coisas assim e dizendo que ia levá-los para Marlene. Não sabia que alguém em particular lhe pedira para fazer isto, ou que tinha tomado qualquer providência neste sentido. Certamente, não fui eu.

— Ah, sim. E a senhora diz que estava na tenda de chá, das quatro horas em diante. Creio que a sra. Legge também tomava chá na tenda, a essa hora.

— A sra. Legge? Não, creio que não. Pelo menos, não me lembro de tê-la visto ali. Na verdade, tenho absoluta certeza de que não estava lá. Chegou muita gente no ônibus que veio de Torquay, e eu me lembro de ter dado uma olhada pela tenda e pensado que deveriam ser veranistas; havia pouquíssimas caras conhecidas. Acho que a sra. Legge deve ter ido tomar chá mais tarde.

— Ah, bom — disse o inspetor —, não tem importância. — Ele acrescentou, brandamente — Bom, acho que é tudo.

Obrigada, sra. Folliat, foi muito gentil. Só podemos esperar que Lady Stubbs volte logo.

— Também espero que sim — disse a sra. Folliat. — Foi muito impensado, da parte da nossa querida menina, nos causar tanta ansiedade. — Falava com vivacidade, mas a animação em sua voz não era muito natural. — Tenho certeza — disse a sra. Folliat — de que ela está *muito* bem. Muito bem.

Naquele momento, a porta se abriu e uma moça atraente, com cabelos ruivos e rosto sardento, entrou e disse:

— Disseram-me que está querendo falar comigo.

— Esta é a sra. Legge, inspetor — disse a sra. Folliat. — Sally, querida, não sei se já soube da coisa terrível que aconteceu.

— Ah, sim. Que horror, não? — disse a sra. Legge. Deu um suspiro exausto e afundou na cadeira, enquanto a sra. Folliat saía da sala.

— Estou terrivelmente sentida com tudo isso — disse. — Parece realmente inacreditável, entende o que quero dizer, não? Temo não poder ajudá-lo de maneira alguma. Sabe, estive lendo mãos a tarde inteira e não vi nada do que estava acontecendo.

— Eu sei, sra. Legge. Mas temos de fazer a todos as mesmas perguntas de rotina. Por exemplo, onde exatamente se encontrava, entre quatro e quinze e cinco horas?

— Bom, fui tomar chá às quatro horas.

— Na tenda de chá?

— Sim.

— Estava muito cheia, não?

— Ah, cheíssima.

— Viu alguém conhecido, ali?

— Ah, algumas poucas pessoas de idade, sim. Ninguém para conversar. Meu Deus, como eu estava com vontade de tomar aquele chá! Eram quatro horas, como disse. Voltei para a barraca da leitura de mãos às quatro e meia e continuei meu trabalho. E Deus sabe o que eu já estava prometendo às mulheres, no final. Maridos milionários e estrelato em Hollywood, Deus sabe o quê.

Simples viagens internacionais e mulheres morenas e suspeitas já pareciam uma coisa monótona demais.

— O que aconteceu durante a meia hora em que esteve ausente? Quero dizer, e se as pessoas quisessem que lesse suas mãos?

— Ah, pendurei um letreiro do lado de fora da tenda: "Volto às 16h30".

O inspetor tomou nota em seu caderninho.

— Quando viu Lady Stubbs pela última vez?

— Hattie? Ah, não sei, realmente. Estava muito perto quando saí da barraca para ir tomar chá, mas não falei com ela. Não me lembro de tê-la visto depois. Alguém me disse agora mesmo que ela está desaparecida. É verdade?

— Sim, é.

— Ah, bom — disse Sally Legge, alegremente —, ela tem um parafuso meio frouxo, sabe. Com certeza, o fato de ocorrer um assassinato aqui assustou-a.

— Muito bem, obrigado, sra. Legge.

A sra. Legge aceitou imediatamente a despedida. Saiu, passando por Hercule Poirot ao atravessar a porta.

III

O inspetor falou, olhando para o teto.

— A sra. Legge diz que estava na tenda de chá entre quatro e quatro e meia. A sra. Folliat diz que estava ajudando a servir o chá na tenda, das quatro em diante, mas a sra. Legge não estava entre os presentes. — Ele fez uma pausa e depois prosseguiu: — A srta. Brewis diz que Lady Stubbs lhe pediu para levar uma bandeja de bolos e suco de fruta para Marlene Tucker. Michael Weyman diz que é impossível Lady Stubbs ter feito uma coisa dessas, seria completamente contra sua maneira de ser.

— Ah — disse Poirot —, as declarações contraditórias!

— Sim, elas sempre aparecem.

— E também dá um trabalho enorme esclarecê-las — disse o inspetor. — Algumas vezes tem importância, mas nove vezes em dez não têm. Bom, ainda vamos precisar, é claro, fazer um grande trabalho de desbravamento.

— E o que pensa agora, *mon cher?* Quais as últimas ideias?

— Acho — disse o inspetor, gravemente — que Marlene Tucker viu alguma coisa que não devia. Segundo penso, por causa do que Marlene Tucker viu ela teve de ser assassinada.

— Não vou contradizê-lo — disse Poirot. — A questão é: o *que* viu ela?

— Pode ter visto um assassinato — disse o inspetor. — Ou pode ter visto a pessoa que cometeu o assassinato.

— Assassinato? — perguntou Poirot. — Assassinato de quem?

— O que acha, Poirot? Lady Stubbs está viva ou morta?

Poirot levou alguns momentos para responder. Depois disse:

— Acho, *mon ami,* que Lady Stubbs está morta. E vou dizer-lhe *por que* penso assim. *É porque a sra. Folliat acha que ela está morta.* Sim, diga ou finja o que quiser, a sra. Folliat acredita que Hattie Stubbs está morta. A sra. Folliat — acrescentou — sabe uma porção de coisas que nós não sabemos.

12

HERCULE POIROT encontrou a mesa vazia, quando desceu na manhã seguinte para tomar o café. A sra. Oliver, ainda sofrendo as consequências do choque causado pela ocorrência da véspera, estava tomando seu desjejum na cama. Michael Weyman tomara uma xícara de café e saíra cedo. Só Sir George e a fiel srta. Brewis estavam à mesa. Sir George dava provas indubitáveis de seu estado mental, mostrando-se incapaz de comer qualquer coisa. Seu prato estava praticamente intato. Afastou a pequena pilha de cartas que, após abrir, a srta. Brewis tinha colocado diante dele. Bebeu o café com um ar de quem não sabia o que estava fazendo. Disse:

— Bom dia, Monsieur Poirot — maquinalmente, e depois recaiu em seu estado de preocupação. Às vezes, soltava alguns murmúrios exclamativos.

— É tão incrível, toda essa maldita coisa. Onde *ela pode* estar?

— O inquérito judicial vai se realizar no Instituto na quinta-feira — disse a srta. Brewis. — Telefonaram para nos informar.

Seu patrão olhou para ela como se não compreendesse.

— Inquérito judicial? — disse. — Ah, sim, naturalmente. — O tom de sua voz era aturdido e desinteressado. Depois de mais alguns goles de café, disse: — As mulheres são imprevisíveis. O que ela acha que está fazendo?

A srta. Brewis cerrou os lábios. Poirot observou com bastante clareza que ela estava num estado de extrema tensão nervosa.

— Hodgson vem vê-lo esta manhã — ela observou — para tratar da eletrificação dos estábulos na fazenda. E às doze há o...

Sir George interrompeu.

— Não posso ver ninguém. Adie tudo! Diabo, como acha que um homem pode tratar de negócios, quando está preocupado, quase fora de si, por causa de sua mulher?

— Como quiser, Sir George. — A srta. Brewis deu o equivalente doméstico da frase do causídico "como quiser o Meritíssimo". Sua insatisfação era óbvia.

— Nunca se sabe — disse Sir George — o *que* as mulheres metem na cabeça, ou que coisas loucas provavelmente farão! Concorda, hein? — lançou a última pergunta a Poirot.

— *Les femmes*? São imprevisíveis — disse Poirot erguendo as sobrancelhas e as mãos, com fervor gaulês. A srta. Brewis soprou pelo nariz, com um jeito aborrecido.

— Ela *parecia* bem — disse Sir George. — Satisfeitíssima com o anel novo, bem vestida para apreciar a festa. Tudo como sempre. Não tivemos qualquer discussão, nem briga de nenhum tipo. E sair assim, sem uma palavra.

— Com relação àquelas cartas, Sir George — começou a srta. Brewis.

— As cartas que vão para o inferno — disse Sir George, e afastou sua xícara.

Pegou as cartas ao lado do prato e quase as atirou em cima dela.

— Responda como quiser! Eu não posso ser incomodado. — Continuou, mais ou menos para si mesmo, em tom magoado — Não parece haver nada que eu possa fazer... Nem sei se esses sujeitos da polícia adiantaram para alguma coisa. Só sabem falar, cheios de mesuras.

— Os policiais são, segundo acredito — disse a srta. Brewis —, muito eficientes. Eles têm amplas facilidades para descobrir onde estão pessoas desaparecidas.

— Às vezes levam dias — disse Sir George — para achar algum miserável garotinho que fugiu e se escondeu num monte de feno.

— Não acho provável que Lady Stubbs esteja num monte de feno, Sir George.

— Se pelo menos eu pudesse *fazer* alguma coisa — repetia o infeliz marido. — Acho, sabe, que vou pôr um anúncio nos jornais. Quer tomar nota, Amanda, por favor? — Ele fez uma pausa, por um momento, pensativo. — *Hattie. Por favor venha para casa. Estou desesperado por sua causa. George.* Em todos os jornais, Amanda.

A srta. Brewis disse azedamente:

— Lady Stubbs não lê os jornais lá com muita frequência, Sir George. Ela não tem o menor interesse nas questões atuais e nem no que se passa no mundo. — Acrescentou, com maldade dissimulada — Claro, o senhor poderia pôr um anúncio na *Vogue*. Isto talvez chame a atenção dela.

Sir George disse, simplesmente:

— Ponha onde quiser, mas ande logo.

Ele se ergueu e caminhou em direção à porta. Com a mão na maçaneta, parou e recuou alguns passos. Falou diretamente a Poirot:

— Ouça, Poirot — disse —, *você* não acredita que ela esteja morta, não é?

Poirot fixou os olhos em sua xícara de café, ao responder:

— Eu diria que é cedo demais, Sir George, para supor alguma coisa desse tipo. Ainda não existe nenhum motivo para alimentar uma ideia dessas.

— Então acha mesmo isso — disse Sir George, com ênfase. — Bom — ele acrescentou, num desafio —, eu não! *Eu* digo que ela está muito bem. — Balançou a cabeça várias vezes, em crescente desafio, e saiu batendo a porta.

Poirot passou manteiga numa torrada, pensativo. Em casos onde havia qualquer indício de que a esposa tinha sido assassinada, ele sempre suspeitava automaticamente do marido. (Do mesmo modo, no desaparecimento de um marido, suspeitava da mulher.) Mas, neste caso, não suspeitou que Sir George tivesse eliminado Lady Stubbs. A partir de sua rápida observação dos dois, ficou completamente convencido de que Sir George era realmente dedicado à esposa. Além disso, fazendo uso de sua excelente memória (era ótima), sabia que Sir George tinha permanecido a tarde inteira no gramado, enquanto ele próprio saía com a sra. Oliver e descobria o cadáver. E estava lá no gramado, quando eles voltaram com a notícia. Não, não tinha sido Sir George o responsável pela morte de Hattie. Ou seja, no caso de Hattie estar morta. Afinal, disse Poirot a si mesmo, não havia ainda razão para acreditar nisso. O que tinha acabado de dizer a Sir George era bastante verdadeiro. Mas, em sua mente, a convicção era inabalável. As características, pensou, eram de assassinato, um assassinato duplo.

A srta. Brewis interrompeu-lhe os pensamentos ao dizer, com um rancor quase choroso:

— Os homens são tão tolos, tão terrivelmente *tolos*! Para muitas coisas, são espertos e aí casam com o tipo de mulher completamente errado.

Poirot queria sempre deixar as pessoas falarem. Quanto mais gente falasse com ele, quanto mais dissesse, melhor. Havia quase sempre um grão de trigo no meio da palha.

— Acha que foi um casamento infeliz? — perguntou.

— Foi desastroso, completamente desastroso.

— Quer dizer que eles não eram felizes juntos?

— Ela exercia sobre ele uma má influência, em todos os sentidos.

— Acho isso muito interessante. Que tipo de má influência?

— Fazia-o correr de um lado para outro a fim de atender às suas ordens e arrancava dele presentes caros, muito mais joias do que uma mulher poderia usar em toda sua vida. E peles. Tem dois casacos de *vison* e um arminho russo. Eu só queria saber para que uma mulher precisa de dois casacos de *vison*.

Poirot abanou a cabeça.

— Realmente não sei — disse.

— Sonsa! — continuou a srta. Brewis — Falsa! Sempre bancando a ingênua, especialmente quando havia gente aqui. Pensava, eu acho, que ele gostava dela assim!

— E ele gostava dela assim?

— Ah, os homens! — disse a srta. Brewis com a voz tremendo, à beira de histeria. — Eles não apreciam eficiência, ou ausência de egoísmo, ou lealdade, *nenhuma* dessas qualidades! Com uma mulher inteligente e capaz, Sir George teria chegado a ser alguma coisa.

— Chegado onde? — perguntou Poirot.

— Bom, ele poderia desempenhar um papel de destaque nas questões locais. Ou se candidatar ao Parlamento. Ele é um homem muito mais capaz do que o pobre sr. Masterton. Não sei se já ouviu o sr. Masterton falar num palanque, é o orador mais vacilante e sem inspiração que se possa imaginar. Ele deve sua posição inteiramente à sua mulher. A sra. Masterton é o poder por trás do trono. É ela quem tem toda energia, a iniciativa e a lucidez política.

Poirot estremeceu inteiramente, com o pensamento de ser casado com a sra. Masterton, mas concordou sinceramente com as palavras da srta. Brewis.

— Sim — disse —, ela é tudo aquilo que a srta. aponta. Uma *femme formidable* — murmurou, como se falasse para si mesmo.

— Sir George não parece ambicioso — prosseguiu a srta. Brewis — aparentemente está bastante satisfeito em viver aqui, perdendo tempo com tolices, bancando o proprietário rural que só vai a Londres ocasionalmente para atender a todos os cargos de diretoria que ocupa na cidade, porém poderia fazer por si muito mais do que isso, com a capacidade que tem. Ele é realmente um homem notável, Monsieur Poirot. Aquela mulher jamais o compreendeu. Simplesmente o encara como uma espécie de máquina de fabricar casacos de pele e joias e roupas caras. Se ele fosse casado com alguém que realmente apreciasse suas habilidades... — Ela se interrompeu, com uma hesitação na voz.

Poirot olhou para ela com muita pena. A srta. Brewis estava apaixonada pelo patrão. Ela lhe oferecia uma dedicação fiel, leal e apaixonada, que ele provavelmente nem percebia e, com certeza, na qual nem sequer estaria interessado. Para Sir George, Amanda Brewis era uma máquina eficiente, que tirava de seus ombros a carga do cotidiano, atendia telefonemas, escrevia cartas, contratava criados, ordenava as refeições e, em tudo, tornava a vida agradável para ele. Poirot duvidava que ele tivesse, mesmo só por uma vez, pensado nela como mulher. E isto, refletiu, tem seus perigos. As mulheres podem ir chegando a um grau altamente de histeria quando não são notadas pelo homem distraído que é o alvo de sua paixão.

— Uma gata sonsa, calculista, esperta. É isso que ela é — disse a srta. Brewis, com voz de choro.

— A srta. diz que ela é, e não que ela *era,* pelo que estou vendo — comentou Poirot.

— Claro que ela não está morta! — disse a srta. Brewis, com desprezo. — Foi embora com algum homem, isso é o que deve ter feito! Faz bem o gênero dela.

— É possível. É sempre possível — disse Poirot. Ele pegou outra torrada, inspecionou tristemente o pote de marmelada e deu uma espiada pela mesa abaixo, para ver se havia algum tipo de geleia. Não havia nenhuma, e ele se resignou com a manteiga.

— É a única explicação — disse a srta. Brewis. — Claro que *ele* não ia pensar nisso.

— Já houve algum... problema... com homens? — perguntou Poirot, delicadamente.

— Ah, ela tem sido muito esperta — disse a srta. Brewis.

— Quer dizer que não observou nada desse gênero?

— Ela tomaria precauções para eu não observar — disse a srta. Brewis.

— Mas acha que pode ter havido, como diria... — episódios sub-reptícios?

— Ela fez o que pôde para virar a cabeça de Michael Weyman — disse a srta. Brewis. — Levando-o para ver os jardins de camélias, nesta época do ano! Fingindo que está tão interessada no pavilhão de tênis.

— Afinal, este é o motivo de ele estar aqui e creio que Sir George está construindo o pavilhão principalmente para agradar sua mulher.

— Ela não sabe jogar tênis — disse a srta. Brewis. — Ela é péssima em *qualquer* esporte. Só quer um belo cenário para ficar sentada, enquanto as outras pessoas correm de um lado para outro e morrem de calor. Ah, sim, ela fez o possível para virar a cabeça de Michael Weyman. E, provavelmente, também teria conseguido, se ele não tivesse coisas mais importantes com que se ocupar.

— Ah — disse Poirot, servindo-se de um restinho de marmelada, colocando-o no canto de uma torrada e dando uma grande mordida, com ar de dúvida. — Então, ele tem coisas mais importantes com que se ocupar, o sr. Weyman?

— Foi a sra. Legge quem o recomendou a Sir George — disse a srta. Brewis. — Ela o conhecia antes de se casar. Chelsea, parece, e todo o resto. Ela pintava, sabe?

— Ela parece uma moça muito atraente e inteligente — disse Poirot, especulativamente.

— Ah, sim, ela é muito inteligente — disse a srta. Brewis. — Teve formação universitária e tenho certeza de que teria feito carreira, se não casasse.

— Está casada há muito tempo?

— Há cerca de três anos, eu creio. Acho que o casamento não deu lá muito certo.

— Existe incompatibilidade?

— Ele é um rapaz esquisito, mal-humorado. Caminha por aí sozinho e eu o ouvi falar com ela em tom muito irritado, algumas vezes.

— Ah, bom — disse Poirot —, as brigas, as reconciliações, fazem parte do início da vida de casados. Sem elas, é possível que essa vida fosse monótona.

— Ela tem passado uma porção de tempo com Michael Weyman, desde que ele chegou aqui — disse a srta. Brewis. — Acho que ele estava apaixonado por ela, antes do casamento dela com Alec Legge. Mas creio que, da parte dela, é apenas um flerte.

— Mas o sr. Legge não gostou disso, talvez?

— Nunca se sabe o que ele pensa, é tão vago. Mas acho que anda mais mal-humorado do que nunca, ultimamente.

— Ele admirava Lady Stubbs, talvez?

— Acho que ela pensava que sim. Ela acredita que só precisa levantar um dedinho, para qualquer homem se apaixonar por ela.

— De qualquer maneira, se ela fugiu com um homem, como a srta. sugere, não foi com o sr. Weyman, pois o sr. Weyman ainda está aqui.

— É alguém com quem andou se encontrando escondido, não tenho a menor dúvida — disse a srta. Brewis. — Muitas vezes, ela escapole às escondidas da casa e vai para os bosques sozinha. Ela saiu anteontem à noite. Bocejava e dizia que ia para a cama. Mas eu a vi, menos de meia hora depois, se esgueirando pela porta dos fundos, com um xale na cabeça.

Poirot olhou pensativamente para a mulher sentada diante dele. Ficou imaginando se era possível dar crédito a qualquer das declarações da srta. Brewis referentes a Lady Stubbs, ou se tudo não passava de fantasia. A sra. Folliat, ele tinha certeza, não partilhava as ideias da srta. Brewis e ela conhecia Hattie muito melhor do que seria possível à secretária. Se Lady Stubbs tivesse fugido com um amante, isto se encaixaria perfeitamente na maneira de pensar da srta. Brewis. Caberia a ela consolar o marido desesperado e cuidar com a máxima eficiência dos detalhes do divórcio. Mas isso não tornava sua suposição verdadeira, nem provável, ou até mesmo viável. Se Hattie Stubbs tinha fugido com um amante, escolhera uma oportunidade muito curiosa para fazer isso, pensou Poirot. De sua parte, não acreditava que ela tivesse agido assim.

A srta. Brewis fungou com desprezo e reuniu a correspondência espalhada.

— Se Sir George realmente quer colocar aqueles anúncios, creio que é melhor eu tratar disso — disse. — É uma completa tolice e uma perda de tempo. Ah, bom dia, sra. Masterton — acrescentou, enquanto a porta era autoritariamente aberta e entrava a sra. Masterton.

— O inquérito judicial foi marcado para quinta-feira, segundo ouvi dizer — ela estrondeou. — Bom dia, Monsieur Poirot.

A srta. Brewis parou, com a mão cheia de cartas.

— Posso ajudá-la de alguma maneira, sra. Masterton? — perguntou.

— Não, obrigada, srta. Brewis. Deve ter muita coisa para fazer esta manhã, mas quero agradecer-lhe pelo excelente trabalho que realizou ontem. Tem muita capacidade de organização e sabe trabalhar com afinco. Estamos todos muito gratos.

— Obrigada, sra. Masterton.

— E agora não quero prendê-la. Vou me sentar e conversar um minutinho com Monsieur Poirot.

— Encantado, Madame — disse Poirot. — Ele já se levantara, e fez uma curvatura.

A sra. Masterton puxou uma cadeira e se sentou. A srta. Brewis saiu da sala, voltando a assumir completamente seu lado eficiente.

— Mulher maravilhosa, essa — disse a sra. Masterton. — Não sei o que os Stubbs fariam sem ela. Dirigir uma casa não é fácil, hoje em dia. A pobre Hattie não saberia se encarregar disso. Que estranho episódio, este, Monsieur Poirot. Vim perguntar-lhe o que pensa disso.

— E o que pensa a senhora, Madame?

— Bom, é uma coisa desagradável de se pensar, mas devo dizer que temos alguns tipos patológicos nesta parte do mundo. Não um morador local, eu espero. Talvez solto de um asilo; estão sempre soltando gente ainda não inteiramente curada. Quero dizer que ninguém jamais iria querer estrangular a garota Tucker. Não poderia haver nenhum motivo, quero dizer, a não ser uma anormalidade. E se esse homem, seja lá quem for, é anormal, eu diria que, provavelmente, estrangulou aquela pobre moça, a Hattie Stubbs. Ela não tem lá muito juízo, sabe, pobrezinha. Se encontrasse um homem com aparência comum e ele lhe pedisse para dar uma olhada em alguma coisa no bosque, ela provavelmente iria como um cordeirinho, sem suspeitar de nada, dócil.

— Acha que o corpo dela está em alguma parte da propriedade?

— Sim, Monsieur Poirot. A polícia vai encontrá-lo, quando der uma busca por aí. Veja bem, com cerca de sessenta e cinco acres de bosques, vai ser preciso muita busca, se foi arrastado para debaixo dos arbustos, ou atirado em alguma vala, no meio das árvores. Necessitam é de sabujos — disse a sra. Masterton, parecendo, ao falar, exatamente um sabujo, ela própria. — Sabujos! Vou telefonar para o Delegado do Condado e dizer-lhe isto pessoalmente.

— É bem possível que esteja certa, Madame — disse Poirot. Evidentemente, era a única coisa que poderia dizer à sra. Masterton.

— Claro que estou certa — disse a sra. Masterton —, mas devo dizer que fico com muito medo, porque o criminoso anda por aí. Vou à vila, quando sair daqui, para dizer às mães que tenham muito cuidado com suas filhas; não as deixem sair sozinhas. Não é um pensamento lá muito agradável, Monsieur Poirot, o de que existe um assassino entre nós.

— Só uma perguntinha, Madame. Como poderia um estranho ter conseguido entrar no abrigo dos barcos? Para isto, precisaria de uma chave.

— Ah, isso — disse a sra. Masterton — é bastante simples. Ela saiu, é claro.

— Saiu do abrigo dos barcos?

— Sim. Creio que ficou entediada, como acontece com as meninas. O mais provável, eu acho, é que tenha visto Hattie Stubbs sendo assassinada. Ouviu uma luta, ou algo parecido, foi ver o que era e o homem, após liquidar Lady Stubbs, naturalmente tinha de matá-la também. Muito fácil para ele levá-la de volta para o abrigo dos barcos, atirá-la ali e sair, batendo a porta. Era uma fechadura Yale. Tranca ao bater.

Poirot fez um sinal afirmativo com a cabeça, gentilmente. Não era seu propósito discutir com a sra. Masterton e nem esclarecê-la quanto ao interessante fato de que, se Marlene Tucker fora morta longe do abrigo dos barcos, alguém deveria saber bastante a respeito da brincadeira do crime, para colocá-la de volta no exato lugar e posição em que a vítima deveria colocar-se. Em vez disso, ele disse, com cortesia:

— Sir George Stubbs confia que a mulher ainda esteja viva.

— É o que ele diz, ora, porque quer acreditar nisso. Era muito dedicado a ela, como sabe. — Ela acrescentou, de maneira um tanto inesperada — Gosto de George Stubbs. Apesar de suas origens e do fato de vir da cidade, e tudo isso, ele se adaptou muito bem no Condado. A pior coisa que se pode dizer dele é que é um pouquinho esnobe. E, afinal, o esnobismo social é bastante inofensivo.

Poirot observou, com certo cinismo:

— Atualmente, Madame, o dinheiro já se tornou tão aceitável quanto as origens nobres.

— Meu caro, concordo plenamente com o senhor. Não há necessidade de ele ser esnobe, bastava comprar a propriedade e espalhar dinheiro em torno para todos virmos visitá-lo! Mas na verdade o homem é estimado. Não apenas por causa de seu dinheiro. Claro que Amy Folliat teve alguma coisa a ver com isso. Ela os apadrinhou e, veja bem, tem muita influência nesta parte do mundo. Ora, existem Folliat por aqui desde o tempo dos Tudor.

— Sempre houve Folliat na mansão Nasse — Poirot murmurou, para si mesmo.

— Sim. — A sra. Masterton suspirou. — Foi uma coisa triste, os danos causados pela guerra. Jovens mortos em combate — impostos de transmissão a pagar e todo o resto. E qualquer pessoa que chega a um lugar e não pode mantê-lo precisa vendê-lo...

— Mas a sra. Folliat, embora tenha perdido seu lar, ainda mora na propriedade.

— Sim. Ela transformou a casa do porteiro num local muito encantador também. Já esteve lá dentro?

— Não, nós nos despedimos à porta.

— Nem todo mundo seria capaz de suportar isso — disse a sra. Masterton. — Viver na casa do porteiro de seu antigo lar e ver estranhos se tornarem donos. Mas, para fazer justiça a Amy Folliat, eu não creio que ela se sinta amargurada por causa disso. Na verdade, ela tramou tudo. Não há dúvida, imbuiu Hattie com a ideia de viver aqui, e fez com que convencesse George Stubbs. O que Amy Folliat não conseguiria tolerar era ver o lugar transformado num albergue ou instituição, ou loteado para construção. — Ela se levantou. — Bom, preciso ir andando. Sou uma mulher ocupada.

— Claro. Precisa conversar com o Delegado do Condado a respeito dos sabujos.

A sra. Masterton deu um repentino e fundo ladrido de riso.

— Já tive esses cachorros, em outros tempos — disse ela. — As pessoas me dizem que eu própria sou um pouco parecida com um sabujo.

Poirot foi meio apanhado de surpresa, e ela foi suficientemente rápida para perceber.

— Aposto que estava pensando isso, Monsieur Poirot — disse.

13

DEPOIS QUE A SRA. MASTERTON foi embora, Poirot saiu e começou a caminhar pelo bosque. Seus nervos não estavam em bom estado. Sentia um desejo irresistível de espiar por trás de cada arbusto e considerava todo maciço de rododendro como possível esconderijo para um cadáver. Chegou afinal à Extravagância e, após entrar, sentou-se num banco de pedra para descansar os pés que estavam, como de costume, encerrados em sapatos de verniz apertados e pontudos.

Por entre as árvores, divisava fracos reflexos do rio e as encostas arborizadas, na margem oposta. Concluiu que concordava com o jovem arquiteto, aquele não era lugar para se colocar uma fantasia arquitetônica daquele tipo. Poderiam ser abertas brechas entre as árvores, é claro, mas, ainda assim, não haveria uma visão adequada. Enquanto, como Michael Weyman tinha dito, na elevação gramada perto da casa, uma Extravagância poderia ter sido construída com uma linda vista para o rio Helmmouth. Os pensamentos de Poirot se desviaram por uma tangente. Helmmouth, o iate *Espérance* e Etienne de Sousa. Tudo deveria se articular, fazendo algum sentido, mas que sentido ele ainda não podia imaginar. Apenas algumas indicações tentadoras apareciam ali e acolá, mas era tudo.

Algo reluzente chamou-lhe a atenção e ele se inclinou para pegar. Alojara-se numa pequena fenda no concreto da base do templo. Ele o segurou na palma da mão e observou-o com um estremecimento, ao reconhecê-lo. Era um berloque, um aviãozinho de ouro. Franziu a testa, enquanto o olhava, e uma imagem lhe veio à mente. Uma pulseira. Uma pulseira de ouro cheia de amuletos pendentes. Reviu-se sentado na tenda, ouvindo a voz de Madame Zuleika, aliás Sally Legge, a falar de mulheres morenas, viagens até o outro lado do oceano e boas notícias através de uma carta. Sim, ela usava uma pulseira da qual pendia uma multiplicidade de pequenos objetos de ouro. Uma dessas coisas da nova moda que repetia a moda dos velhos tempos de Poirot. Provavelmente, foi por isso que lhe despertou a atenção. Em alguma ocasião, presumivelmente, a sra. Legge sentara-se ali na Extravagância e um dos berloques caíra de sua pulseira. Talvez ela nem tivesse notado. Poderia ter sido há alguns dias, quem sabe semanas. Ou talvez fosse na tarde da véspera.

Poirot considerou a última possibilidade. Depois ouviu passos do lado de fora e ergueu rapidamente a vista. Uma figura aproximou-se da frente da Extravagância e parou, espantada, ao avistar Poirot. Poirot observou com cuidado o jovem louro e magro que usava uma camisa apresentando imensa variedade de tartarugas e cágados. A camisa era inconfundível. Examinara-a de perto na véspera, quando o rapaz estava participando da "brincadeira dos cocos".

Notou que o jovem estava perturbado, além do normal. Ele disse depressa, com sotaque estrangeiro:

— Peço desculpas — eu não sabia...

Poirot sorriu gentilmente para ele, mas com ar de reprovação.

— Creio — disse — que você está cometendo uma invasão.

— Sim, sinto muito.

—Vem do albergue?

— Sim. É verdade. Pensei que talvez fosse possível atravessar o bosque por aqui e chegar ao cais.

— Temo — disse Poirot, gentilmente — que você vá ter de voltar pelo caminho por onde veio. Não existe estrada aqui.

O rapaz disse outra vez, mostrando todos os dentes, num sorriso que pretendia ser agradável:

— Desculpe. Sinto muito.

Fez uma curvatura e se virou para ir embora.

Poirot saiu da Extravagância e voltou à estrada pavimentada, onde ficou espiando o rapaz se afastar. Quando chegou ao fim da estrada, ele olhou por sobre o ombro. Depois, ao ver Poirot a observá-lo, apressou os passos e desapareceu numa curva.

— *Eh bien* — disse Poirot para si mesmo —, foi um assassino que eu vi, ou não?

Era certo que o rapaz estava na festa da véspera e tinha feito uma carranca ao esbarrar em Poirot. Com igual certeza, portanto, devia saber muito bem que não havia nenhuma estrada de acesso às barcas ali no bosque. Aliás, se ele estivesse realmente procurando um caminho para as barcas, não teria tomado aquele onde ficava a Extravagância, mas seguiria pelo nível inferior, bem mais próximo do rio. Além disso, tinha chegado com um ar de alguém que se aproxima de seu encontro e tem uma surpresa desagradável, ao encontrar a pessoa errada no local do encontro.

— Então foi isso — disse Poirot para si mesmo. — Ele veio aqui encontrar alguém. A quem veio encontrar? — Acrescentou uma segunda reflexão: — E por quê?

Caminhou até a curva da estrada e olhou o ponto em que virava em direção às árvores. Não havia agora mais nenhum sinal do rapaz com a camisa das tartarugas. Presumivelmente, tinha achado mais prudente retirar-se o mais depressa possível. Poirot voltou pelo caminho por onde tinha vindo, abanando a cabeça.

Perdido em seus pensamentos, ele contornou a Extravagância por um dos lados e parou nos umbrais, por sua vez espantado. Sally Legge estava ali ajoelhada, com a cabeça curvada por sobre as fendas do piso. Ela deu um pulo, sobressaltada.

— Ah, Monsieur Poirot, o senhor me deu um susto enorme. Não ouvi seus passos.

— Estava procurando alguma coisa, Madame?

— Ah, não, nada.

— Talvez tenha perdido algo — disse Poirot. — Deixado cair alguma coisa. Ou talvez... — Ele adotou um ar malicioso, galante.

— Ou talvez, Madame, seja um encontro. Infelizmente eu não sou a pessoa que veio encontrar?

Ela agora já recuperara o aprumo.

— Será que alguém tem um encontro no meio da manhã? — perguntou, em tom de dúvida.

— Algumas vezes — disse Poirot — a pessoa precisa ter um encontro no único tempo de que dispõe. Os maridos — acrescentou judiciosamente — algumas vezes são ciumentos.

— Duvido que o meu seja — disse Sally Legge.

Ela proferiu as palavras em tom bastante brincalhão, mas por trás delas Poirot percebeu um toque de amargura.

— Ele está completamente absorvido em seus próprios assuntos.

— Todas as mulheres queixam-se disso com relação aos seus maridos — disse Poirot. — Especialmente no caso de maridos ingleses — acrescentou.

— Os estrangeiros como o senhor são mais galantes.

— Sabemos — disse Poirot — que é necessário dizer a uma mulher, pelo menos uma vez por semana e de preferência três ou quatro vezes, que nós a amamos; e que também é aconselhável dizer-lhe que está bonita com seu vestido ou o seu chapéu novo.

— O *senhor* faz isso?

— Eu, Madame, eu não sou um marido — disse Hercule Poirot. — Pobre de mim! — acrescentou.

— Tenho certeza de que esse "pobre de mim" não se justifica. Aposto que está satisfeitíssimo por ser um despreocupado solteirão.

— Não, não, Madame, é terrível que eu tenha perdido tanta coisa na vida.

— Acho que quem se casa é idiota — disse Sally Legge.

— Tem saudade dos tempos em que pintava, no seu estúdio em Chelsea?

— Parece saber tudo a meu respeito, Monsieur Poirot.

— Sou um mexeriqueiro — disse Hercule Poirot. — Gosto de saber tudo a respeito das pessoas. — Prosseguiu: — Tem realmente saudade, Madame?

— Ah, não sei. — Ela se sentou no banco, com impaciência. Poirot sentou-se a seu lado.

Ele testemunhou mais uma vez o fenômeno ao qual começava a se acostumar. Esta moça atraente, ruiva, estava prestes a lhe dizer coisas que teria pensado duas vezes antes de dizer a um inglês.

— Eu tinha a esperança — disse — de que, quando viéssemos para cá passar umas férias longe de tudo, as coisas voltassem a ser o que eram... Mas isto não aconteceu.

— Não?

— Não. Alec continua mal-humorado como sempre e, não sei, voltado para si mesmo. Ignoro o que se passa com ele. Está tão nervoso e impaciente. Telefonam para ele, deixam recados estranhos e ele não quer me dizer *nada*. É isso que me deixa louca. Ele não quer me dizer *nada*! No começo, pensei que fosse alguma outra mulher, mas não creio que seja isto. Realmente não...

— Gostou do seu chá ontem à tarde, Madame? — ele perguntou.

— Se gostei do meu chá? — Ela franziu a testa, parecendo despertar de uma profunda meditação. — Ah, sim, não faz ideia de como foi cansativo ficar sentada naquela tenda, envolta em todos aqueles véus. Era sufocante.

— A tenda de chá também deveria estar um tanto sufocante, não?

— Ah, sim, estava. Mas não existe nada igual a uma boa xícara de chá, não é verdade?

— Estava procurando alguma coisa agora mesmo, não, Madame? Não seria, por acaso, isto? — ele estendeu o pequeno berloque de ouro na palma da mão.

— Eu... Ah, sim. Obrigada, Monsieur Poirot. Onde o encontrou?

— Estava ali, no chão, naquela fenda lá.

— Deve ter caído em alguma ocasião.

— Ontem?

— Não, ontem não. Foi antes disso.

— Mas, Madame, tenho certeza de ter visto este berloque particular em seu pulso, quando a senhora lia minha mão.

Ninguém sabia dizer uma mentira deliberada tão bem como Hercule Poirot. Ele falou com completa segurança e, diante dessa segurança, Sally Legge baixou as pálpebras.

— Realmente, não me lembro — disse. — Só notei esta manhã que ele tinha desaparecido.

— Então estou feliz — disse Poirot galantemente — de poder devolvê-lo à senhora.

Ela ficou brincando nervosamente com o pequeno berloque entre os dedos. Em seguida levantou-se.

— Bom, obrigada, Monsieur Poirot. Muito obrigada — disse. — Sua respiração era meio irregular e os olhos manifestavam nervosismo.

Saiu correndo da Extravagância. Poirot recostou-se em seu assento e balançou lentamente a cabeça.

Não, disse ele para si mesmo, você não foi à barraca de chá ontem à tarde. Não foi por querer o seu chá que estava tão ansiosa para saber se já eram quatro horas. Foi para *aqui* que você veio ontem à tarde. Aqui para a Extravagância. *A meio caminho do abrigo dos barcos.* Você veio aqui encontrar alguém.

Mais uma vez, ele escutou passos que se aproximavam. Passos rápidos, impacientes.

— E agora talvez — disse Poirot, sorrindo de expectativa — chegou quem a sra. Legge esperava.

Mas então, quando Alec Legge apareceu num dos lados da Extravagância, Poirot exclamou:

— Errado outra vez.

— Ahn? O que é? — Alec Legge parecia espantado.

— Eu disse — explicou Poirot — que estava outra vez enganado. Não me engano muitas vezes — continuou a explicar — e, quando isto acontece, fico irritado. Não era o senhor que esperava ver.

— A quem esperava ver? — perguntou Alec Legge.

Poirot respondeu prontamente.

— Um rapaz, quase um menino, com uma dessas camisas bem estampadas, cheia de tartarugas.

Ele ficou encantado com o efeito de suas palavras.

Alec Legge deu um passo para trás. Disse, de modo incoerente:

— Como sabe? Como — o que quer dizer?

— Sou médium — disse Hercule Poirot, e fechou os olhos.

Alec Legge deu mais uns passos para trás. Poirot estava consciente de que tinha diante de si um jovem muito irritado.

— Que diabo quer dizer? — perguntou.

— Seu amigo, eu acho — disse Poirot — voltou para o Albergue da Juventude. Se quer vê-lo, terá de ir lá procurá-lo.

— Então é isso — murmurou Alec Legge.

Ele se deixou cair na outra extremidade do banco de pedra.

— Então, é por isso que está aqui? Não foi uma questão de "entrega de prêmios". Eu deveria saber disso. — Virou-se para Poirot. Seu rosto estava desfigurado e sombrio. — Sei o que deve parecer — disse. — Sei o que a coisa toda parece. Mas não é o que pensa. Eu sou uma vítima. Eu lhe garanto, quando se cai nas garras daquela gente, não é fácil escapar. E eu quero escapar. A questão é essa. *Quero fugir deles.* A pessoa fica desesperada, sabe. E tem vontade de tomar atitudes extremas. A gente se sente aprisionado, como um rato numa ratoeira, e não pode fazer nada. Ah, de que adianta falar! Sabe agora o que quer saber, suponho. Já tem suas provas.

Ele se levantou, tropeçou um pouco, como se não conseguisse enxergar o caminho, e depois partiu às pressas, com toda energia, sem olhar para trás.

Hercule Poirot permaneceu atrás, com os olhos arregalados e as sobrancelhas erguidas.

— Tudo isso é muito curioso — murmurou. — Curioso e interessante. Tenho as provas de que preciso, é? Provas de quê? Assassinato?

14

O INSPETOR BLAND estava na Delegacia de Polícia de Helmmouth. O Superintendente Baldwin, homem grandalhão de aspecto descontraído, estava sentado diante dele, do outro lado da mesa. Entre os dois, na mesma mesa, encontrava-se uma massa negra e ensopada. O Inspetor Bland cutucou-a cautelosamente com o indicador.

— Sim, é o seu chapéu — disse. — Tenho certeza disso, embora não creia que possa jurar. Ela gostava dessa forma, parece. Foi o que a camareira me disse. Tinha um ou dois desse tipo. Um rosa-pálido e outro uma espécie de cor de pulga, mas ontem estava usando o preto. E você pescou isso no rio? Leva a pensar que foi como imaginamos.

— Não é certo ainda — disse Baldwin. — Afinal — acrescentou —, qualquer pessoa poderia atirar um chapéu no rio.

— Sim — disse Bland —, poderiam atirá-lo do abrigo dos barcos, ou de um iate.

— O iate está fechado — disse Baldwin. — Se ela está lá, viva ou morta, ainda está lá.

— Ele não desembarcou hoje?

— Até agora não. Está a bordo. Estava sentado numa espreguiçadeira, no convés, fumando um charuto.

O Inspetor Bland deu uma olhada no relógio.

— Está quase na hora de ir a bordo — disse.

— Acha que vai encontrá-la? — perguntou Baldwin.

— Eu não apostaria nisso — disse Bland. — Tenho a impressão, sabe, de que ele é diabolicamente inteligente. — Mergulhou por alguns minutos em seus pensamentos, cutucando outra vez o chapéu. Depois disse: — E o cadáver? Se é que houve um cadáver? Qualquer ideia a respeito do assunto?

— Sim — disse Baldwin. — Conversei com Otterweight hoje de manhã. Um ex-funcionário da guarda costeira. Sempre o consulto em qualquer assunto relativo a marés e correntezas. Mais ou menos na hora em que Lady Stubbs entrou no Helm, se entrou no Helm, a maré estava baixando. Agora, com a lua cheia, deve estar enchendo rapidamente. Calculo que deve ter sido carregada para o mar, e a corrente a levará em direção à costa da Cornualha. Ninguém pode ter certeza se o corpo vai aparecer na superfície ou não. Num dos dois afogamentos que tivemos por aqui, jamais recuperamos o corpo. Que também fica muito quebrado, nas pedras. Aqui, no Cabo Start. Por outro lado, *pode* aparecer qualquer dia.

— Se não aparecer vai ser difícil — disse Bland.

— Tem certeza, de acordo com sua maneira de ver, que ela está no rio?

— Não vejo o que mais possa ter acontecido — disse o Inspetor Bland, sombriamente. — Verificamos, sabe, os ônibus e trens. Este lugar é um beco sem saída. Ela estava usando roupas que davam na vista e não levou nenhuma outra consigo. Então, eu diria que jamais saiu de Nasse. Ou seu corpo está no mar, ou então está escondido em alguma parte da propriedade. O que quero é saber — ele continuou, impetuosamente — o *motivo*. E achar o corpo, naturalmente — acrescentou, como quem pensa melhor. — Não posso chegar a parte alguma até achar o corpo.

— E a menina?

— Ela viu o crime, ou alguma outra coisa. Vamos descobrir toda a verdade, no final, mas não vai ser fácil.

Baldwin, por sua vez, ergueu os olhos para o relógio.

— É hora de ir — disse.

Os dois policiais foram recebidos a bordo do *Espérance* com toda a encantadora cortesia do sr. De Sousa. Ele lhes ofereceu bebida, que recusaram, e em seguida manifestou um gentil interesse em suas atividades.

— Estão muito adiantados nas investigações sobre a morte da menina?

— Sim, estamos progredindo — disse o Inspetor Bland.

O superintendente aproveitou a oportunidade e manifestou, com muita delicadeza, o objetivo da visita.

— Querem revistar o *Espérance?* — De Sousa não parecia aborrecido. Em vez disso, levemente divertido. — Mas por quê? Acham que escondo o assassino ou pensam, quem sabe, que sou eu o próprio assassino?

— É necessário, sr. De Sousa, tenho certeza de que compreenderá. Um mandado de busca...

De Sousa ergueu as mãos.

— Mas estou ansioso para cooperar. Impaciente! Que tudo se passe entre amigos. São bem-vindos para revistar meu barco à vontade. Ah, talvez achem que tenho aqui minha prima, Lady Stubbs? Pensam, quem sabe, que fugiu do marido e veio procurar refúgio aqui? Mas revistem, senhores, por favor, revistem.

A revista foi devidamente feita. E se realizou de maneira completa. No final, esforçando-se para ocultar seu aborrecimento, os dois policiais despediram-se do sr. De Sousa.

— Nada encontraram? Que desapontamento! Mas eu lhes disse que não havia coisa alguma. Quem sabe não querem beber alguma coisa, agora. Não?

Ele os acompanhou até o barco no qual tinham vindo.

— E eu? — perguntou. — Tenho permissão de partir? Devem compreender que está ficando um tanto tedioso aqui. O tempo está bom. Eu gostaria muito de navegar para Plymouth.

— Só pedimos a gentileza, senhor, de ficar aqui até o inquérito judicial, que será amanhã, para o caso de o magistrado desejar perguntar-lhe alguma coisa.

— Ah, claro. Quero fazer todo o possível. Mas, depois disso?

— Depois disso, senhor — disse o Superintendente Baldwin, com o rosto impassível —, está, naturalmente, livre para viajar para onde quiser.

A última coisa que viram enquanto a lancha se afastava do iate foi o rosto sorridente de De Sousa a olhar lá de cima para eles.

II

O inquérito foi quase penosamente destituído de interesse. Além das evidências médicas e das provas de identidade, houve pouco material para alimentar a curiosidade dos espectadores. Foi pedido e concedido um adiamento. Todos os procedimentos tinham sido puramente formais.

Os acontecimentos subsequentes, entretanto, não foram assim tão formais. O Inspetor Bland passou a tarde viajando numa embarcação de cruzeiro bem conhecida, *The Devon Belle*. Partindo de Brixwell cerca das três horas, o barco contornou o promontório, seguiu ao largo da costa, entrou na embocadura do Helm e subiu o rio. Havia cerca de duzentas e trinta pessoas a bordo além do Inspetor Bland. Ele se sentou a estibordo da embarcação, examinando a costa arborizada. Dobraram uma curva do rio e passaram pelo abrigo dos barcos cinzento, coberto de telhas e isolado, que pertencia a Hoodown Park. O Inspetor Bland olhou sub-repticiamente para seu relógio. Eram exatamente quatro e quinze. Aproximavam-se agora do abrigo de barcos de Nasse. Ele se aninhava recuado entre as árvores, com sua pequena sacada e, embaixo, o diminuto cais. Não havia nenhum sinal aparente de que alguém se encontrasse ali dentro, embora, na verdade, como bem sabia o Inspetor Bland, alguém estivesse lá. P. C. Hoskins, obedecendo ordens, dava plantão no local.

Não distante dos degraus do abrigo dos barcos, estava uma pequena lancha. Nela se encontravam um homem e uma moça com roupas esportivas. Eles se entregavam, ao que parecia, a uma brincadeira meio pesada. A menina gritava e o homem, de brincadeira, fingia que ia atirá-la na água. Naquele justo momento, uma voz estentórica falou por um megafone.

— Senhoras e senhores — estrondeou a voz —, nós nos aproximamos agora da famosa vila de Gitcham, onde ficaremos durante quinze minutos e poderão tomar um chá com caranguejo e lagosta bem como creme de Devonshire. À direita, estão os terrenos da mansão Nasse. Passarão pela própria casa dentro de dois ou três minutos e ela já começa a ser avistada, por entre as árvores. Inicialmente era propriedade de Sir Gervase Folliat, um contemporâneo de Sir Francis Drake que o acompanhou em sua viagem ao Novo Mundo. Agora, pertence a Sir George Stubbs. À esquerda, vemos o famoso rochedo Goseacre. Ali, senhoras e senhores, segundo o costume, eram colocadas as esposas rabugentas, durante a maré baixa e elas ficavam no local até a água lhes chegar ao pescoço.

Todos, no *Devon Belle,* olharam fascinados para o rochedo Goseacre. Fizeram piadas e deram muitas risadinhas e gargalhadas excitadas.

Enquanto isso, o homem no barco, após uma luta final, realmente empurrou para a água sua companheira. Inclinando-se por sobre a borda, ele a segurou dentro d'água, rindo e dizendo:

— Não, não vou tirar você daí, até prometer se comportar bem.

Ninguém entretanto prestou atenção a isso, exceto o Inspetor Bland. Todos estavam escutando o megafone, apreciando a primeira visão da mansão Nasse por entre as árvores e espiando com fascinado interesse o rochedo Goseacre.

O homem soltou a moça, ela afundou na água e, alguns momentos mais tarde, apareceu do outro lado do barco. Nadou até ele e entrou, içando-se por sobre a borda com a habilidade de uma profissional. A policial Alice Jones era uma nadadora excelente.

O Inspetor Bland desembarcou em Gitcham com os outros duzentos e trinta passageiros e consumiu um chá com lagosta, creme do Devonshire e bolinhos. Dizia para si mesmo enquanto comia:

— Então *poderia* ter sido feito e ninguém ia notar!

III

Enquanto o Inspetor Bland fazia sua experiência no Helm, Hercule Poirot realizava pesquisas numa tenda no gramado da mansão Nasse. Era, na verdade, a mesma tenda onde Madame Zuleika lera as mãos. Quando o resto das barracas e dos *stands* foi desmontado, Poirot pediu que aquela permanecesse armada.

Então entrou na tenda, baixou as janelinhas e foi para os fundos. Com jeito, desamarrou as janelinhas de lá, deslizou para fora, tornou a amarrá-las e mergulhou na sebe de rododendros que ficava logo atrás da tenda. Esgueirando-se entre alguns arbustos, logo chegou a uma pequena pérgula rústica. Era uma espécie de cabana, com a porta fechada. Poirot abriu a porta e entrou.

Estava muito escuro lá dentro, porque pouca luz se filtrava através dos rododendros que haviam crescido em torno dela desde sua construção naquele local, há muitos anos. Havia ali uma caixa contendo bolas de croquê e alguns velhos aros enferrujados. Havia também um ou dois bastões de hóquei quebrados, uma porção de centopeias e aranhas, além de uma marca redonda, irregular, na poeira do chão. Poirot ficou a observá-la durante algum tempo. Ajoelhou-se e, tirando do bolso um pequeno instrumento de medir, tomou-lhe as dimensões com cuidado. Depois balançou a cabeça com satisfação.

Esgueirou-se para fora, silenciosamente, e fechou a porta atrás de si. Depois, seguiu um curso oblíquo, através dos arbustos de rododendro. Assim foi abrindo caminho morro acima e saiu, pouco mais tarde, na estrada que levava à Extravagância e, dali, por um declive até o abrigo dos barcos.

Ele não visitou a Extravagância nesta ocasião, mas desceu diretamente o caminho em ziguezague que levava ao abrigo dos barcos. Tinha consigo a chave e abriu a porta, entrando em seguida.

Com exceção da remoção do corpo, bem como da bandeja de chá, com seu copo e o prato, tudo estava exatamente como ele se lembrava. A polícia anotara e fotografara tudo que havia ali. Ele se aproximou então da mesa onde estava a pilha de revistas. Virou-as e sua expressão não diferia muito da que o Inspetor Bland exibira ao notar as palavras rabiscadas por Marlene antes de morrer. "Jackie Blake trepa com Susan Brown". "Peter belisca as meninas no cinema". "George Porgie beija as 'hippies' no bosque". "Biddy Fox gosta de garotos". "Albert trepa com Doreen".

Ele achou as anotações patéticas, com sua crueza ingênua. Lembrou-se do rosto comum e meio sarapintado de Marlene. Suspeitou que os meninos não beliscavam Marlene no cinema. Frustrada, ela obtinha uma emoção vicária espionando e espreitando seus jovens contemporâneos. Espionava as pessoas, bisbilhotava, e viu coisas. Coisas que não deveria ter visto, coisas em geral pouco importantes mas, em certa ocasião, talvez algo importante. Algo de cuja importância ela própria não tinha ideia.

Era tudo conjectura e Poirot balançou a cabeça, num gesto de dúvida. Tornou a colocar a pilha de revistas sobre a mesa, bem ajeitada, com sua paixão crescente pela arrumação. Ao fazer isto foi tomado, de repente, por uma impressão de que havia alguma coisa faltando.

Algo que *deveria* estar ali... Algo... Abanou a cabeça, enquanto se desvanecia a fugidia sensação.

Saiu devagar do abrigo dos barcos, sentindo-se infeliz e insatisfeito consigo mesmo. Ele, Hercule Poirot, tinha sido chamado para impedir um assassinato e não impediu. O crime foi cometido. Mais humilhante ainda era não ter, mesmo agora, nenhuma ideia concreta do que realmente tinha acontecido. Era uma vergonha. E amanhã deveria voltar derrotado para Londres. Seu ego estava seriamente abalado — até os bigodes decaíam.

15

QUINZE DIAS MAIS TARDE, o Inspetor Bland teve uma longa e insatisfatória conversa com o delegado de polícia do Condado.

O Delegado Merrall tinha sobrancelhas irritáveis e hirsutas e mais parecia um zangado *terrier*. Mas seus comandados todos gostavam dele e respeitavam seu julgamento.

— Muito bem — disse o Delegado Merrall —, o que conseguimos? Nada que nos permita agir. E esse sujeito, De Sousa? Não podemos relacioná-lo de nenhuma maneira com a menina. Se o corpo de Lady Stubbs tivesse aparecido, seria diferente. — Cerrou as sobrancelhas, aproximando-as do nariz, e fitou Bland. — Acha que *existe* um cadáver, não é?

— E o que acha, senhor?

— Concordo com você. Se não fosse assim, já a teríamos localizado. A menos, naturalmente, que tenha feito seus planos com muito cuidado. E não vejo a menor indicação disso. Ela não tinha nenhum dinheiro, sabe? Examinamos todo o lado financeiro do caso. O dinheiro era de Sir George. Ele lhe dava uma mesada muito generosa, mas ela não possuía um centavo seu. E não há indícios de nenhum amante. Nenhum rumor a esse respeito, mexerico algum, e deveria existir, note bem, num distrito rural como este.

Deu uma volta para cima e para baixo pelo soalho.

— O fato concreto é que não sabemos. *Pensamos* que De Sousa, por alguma razão desconhecida, liquidou a prima. A hipótese mais provável é que tenha marcado um encontro com ela no abrigo dos barcos. Em seguida, levou-a para dentro da lancha e a empurrou na água. Você já verificou que isto poderia ter acontecido, não?

— Deus do céu, senhor! Seria possível afogar um barco cheio de gente, durante o período de férias, tanto no rio como na margem. Ninguém ia dar a menor importância. Todos passam o tempo todo soltando gritinhos uns para os outros e correndo de lá para cá. Mas o que De Sousa não sabia era que aquela menina estava no abrigo dos barcos, morta de tédio por não ter nada para fazer e, segundo tudo leva a crer, olhando pela janela.

— Hoskins olhou pela janela e observou a representação que você fez, mas você não o viu, não é?

— Não, não vi, senhor. Não dá para ter a menor ideia de que há alguém dentro daquele abrigo de barcos, a não ser que a pessoa saia para a sacada e se apresente...

— Talvez a menina tenha saído para a sacada. De Sousa percebeu que ela viu suas ações e então desembarcou e falou com ela, convencendo-a a deixá-lo entrar no abrigo dos barcos e lhe perguntando, em seguida, o que estava fazendo ali. Ela lhe contou, satisfeita com o papel que desempenhava na Caçada ao Assassino. Ele colocou então o cordão em torno do pescoço dela, como se fosse uma brincadeira, e hmmmmm... — O Delegado Merrall fez um gesto expressivo com as mãos. — Foi isso! Ok, Bland, ok. Vamos dizer que tenha sido assim. Mas é pura adivinhação. Não dispomos de *nenhuma* prova. Não temos um cadáver e, se tentarmos deter De Sousa neste país, vamos armar a maior confusão. Temos de deixá-lo partir.

— Ele vai partir, senhor.

— Daqui a uma semana ele parte com seu iate. Vai voltar para sua maldita ilha.

— Então não temos muito tempo — disse o Inspetor Bland, em tom sombrio.

— Existem outras possibilidades, suponho?

— Ah, sim senhor, existem várias *possibilidades*. Ainda sustento que ela deve ter sido assassinada por alguém que estava a par do andamento da Caçada ao Assassino. Podemos livrar completamente duas pessoas. Sir George Stubbs e o capitão Warburton. Eles estavam dirigindo espetáculos no gramado e se encarregaram das coisas durante a tarde inteira. Têm em seu favor o testemunho de dezenas de pessoas. O mesmo se aplica à sra. Masterton, se por acaso alguém pensasse em incluí-la entre os suspeitos.

— É preciso incluir todo mundo — disse o Delegado Merrall. — Ela não para de me telefonar para falar de sabujos. Num romance policial — ele acrescentou, espirituosamente —, ela seria justamente a mulher assassina. Mas, ora essa, conheço Connie Masterton muito bem, conheci a vida inteira. Simplesmente não consigo imaginá-la saindo por aí a estrangular meninas, ou dando cabo de misteriosas beldades exóticas. Então, quem mais poderia ser?

— Há a sra. Oliver — disse Bland. — Ela planejou a Caçada ao Assassino. É bastante excêntrica e andou por aí sozinha boa parte da tarde. E há também o sr. Alec Legge.

— O sujeito do chalé cor-de-rosa, hein?

— Sim. Ele saiu do centro da festa bem cedo, ou pelo menos não foi visto ali. Diz que se aborreceu com tudo e caminhou de volta para seu chalé. Por outro lado, o velho Merdell, aquele senhor lá do cais, que cuida dos barcos ancorados e ajuda no estacionamento dos automóveis, diz que Alec Legge passou por ele, voltando para o chalé, por volta das cinco horas. Não antes. Sobra cerca de uma hora sem explicação. Ele diz, claro que Merdell não tem a menor ideia do tempo e está completamente enganado quanto à hora em que o viu. E, afinal, o velho está com noventa e dois anos.

— É bastante insatisfatório — disse o Delegado Merrail. — Não há algum motivo, ou coisa parecida, para implicá-lo?

— Ele poderia estar tendo um caso com Lady Stubbs — disse Bland, em tom de dúvida — e ela talvez ameaçasse contar à mulher dele, ele poderia tê-la liquidado e a menina poderia ter visto tudo acontecer...

— E então escondeu o corpo de Lady Stubbs em alguma parte?

— Sim. Mas oxalá eu soubesse como ou onde. Meus homens fizeram uma busca nesses sessenta e cinco acres e não existe o menor sinal dele em parte alguma desta terra convulsionada, embora eu possa dizer que, a esta altura, já escavamos embaixo de tudo quanto é arbusto por aí. Ainda assim, vamos dizer que ele tenha conseguido esconder o cadáver. Poderia, neste caso, ter atirado o chapéu dela no rio, às cegas. E Marlene Tucker o viu, e então ele se livrou dela? Esta parte é sempre a mesma coisa. — O Inspetor Bland fez uma pausa e depois disse: — E, naturalmente, há a sra. Legge...

— O que temos contra ela?

— Não se encontrava na barraca de chá das quatro às quatro e meia, como diz — observou o Inspetor Bland, vagarosamente. — Percebi isso logo que falei com ela e com a sra. Folliat. Os depoimentos confirmam a declaração da sra. Folliat. E foi naquela meia hora particular, decisiva. — Fez outra pausa. — E há também o arquiteto, o jovem Michael Weyman. É difícil relacioná-lo com o caso, mas ele é o que eu chamaria um assassino provável, um desses jovens arrogantes e nervosos. Mataria alguém e nem se abalaria. Deve ser um tipo, "da pesada", eu acho.

—Você é um sujeito respeitável como o diabo, Bland — disse o Delegado Merrall. — Como ele descreveu seus movimentos?

— De maneira muito vaga, senhor. Realmente muito vaga.

— Isto prova que é um autêntico arquiteto — disse o Delegado Merrall, com convicção. Ele tinha mandado construir recentemente uma casa perto da costa marítima. — São tão vagos que, às vezes, fico imaginando se estão mesmo vivos.

— Não sabe onde estava e nem quando e ninguém, segundo parece, o viu. *Existem* algumas provas de que Lady Stubbs lhe dava atenção.

— Suponho que está sugerindo a ocorrência de um desses crimes sexuais.

— Só estou vendo o que posso encontrar, senhor — disse o Inspetor Bland com dignidade. — E há também a srta. Brewis... — Ele fez uma pausa. Foi uma longa pausa.

— É a secretária, não?

— Sim, senhor. Uma mulher muito eficiente.

Houve outra pausa. O Delegado Merrall olhou para seu subordinado com atenção.

— Tem em mente alguma coisa a respeito dela, não?

— Tenho, sr. Sabe, ela admite abertamente que estava no abrigo dos barcos quando o assassinato deve ter sido cometido.

— Acha que é culpada?

— Talvez — disse o Inspetor Bland devagar. — Na verdade, é a melhor coisa que ela poderia fazer. Veja, se apanha uma bandeja com bolos e um refresco e diz a todos que vai levar aquilo para a menina lá no abrigo... bom, então sua presença fica explicada. Ela vai até lá e volta e diz que a menina estava viva naquela hora. Aceitamos a declaração como verdadeira. Mas, se lembrar, senhor, o relatório médico e o examinar outra vez, verá que o dr. Cook situou o momento da morte entre quatro horas e quinze para as cinco. Só temos a palavra da srta. Brewis para crer que Marlene estava viva às quatro e quinze. E existe um ponto curioso que emergiu do seu depoimento. Ela disse que foi Lady Stubbs quem lhe falou para levar os bolos e o suco para Marlene. Mas outra testemunha afirmou, bastante convincentemente, que Lady Stubbs não costumava pensar nesse tipo de coisa. E eu acho, sabe, que isto é certo. Não faz o gênero de Lady Stubbs. Lady Stubbs era uma beldade estúpida, preocupada só consigo mesma e com sua aparência. Ela nunca, segundo parece, pediu refeições para alguém da criadagem, ou se interessou por eles, e nem pensou em qualquer outra pessoa, exceto em seu belo ego. Quanto mais reflito a respeito, mais me parece muito improvável que ela tivesse dito à srta. Brewis para levar alguma coisa à Guia.

— Sabe, Bland, você achou alguma coisa aí — disse Merrall. — Mas, caso isto seja verdade, que motivo teria?

— Nenhum motivo para matar a menina — disse Bland —; mas eu realmente penso, sabe, que poderia ter motivos para matar Lady Stubbs. Segundo Monsieur Poirot, sobre quem lhe falei, ela está inteiramente apaixonada pelo patrão. Não podemos supor que ela seguiu Lady Stubbs ao bosque e a matou, e que Marlene Tucker, entediada no abrigo dos barcos, saiu e acabou vendo tudo? Então, naturalmente, ela teria de matar Marlene também. O que faria, em seguida? Colocaria o corpo da menina no abrigo dos barcos, voltaria para a casa, apanharia a bandeja e desceria para o abrigo dos barcos outra vez. Então ela encobre sua própria ausência da festa e temos o seu testemunho, nosso único testemunho confiável com relação ao assunto, de que *Marlene Tucker estava viva às quatro e quinze.*

— Bom — disse o Delegado Merrall, com um suspiro —, continue investigando isso, Bland. Continue investigando. O que acha que ela fez com o corpo de Lady Stubbs, se é a culpada?

— Escondeu-o nos bosques, queimou-o ou o atirou dentro do rio.

— A última possibilidade seria um tanto difícil, não é?

— Depende de onde o crime foi cometido — disse o inspetor. — Ela é uma mulher bastante vigorosa. Se não estava longe do abrigo dos barcos, *poderia* tê-la carregado para lá e atirado o cadáver da beira do cais.

— Com todos os barcos de cruzeiro do Helm observando?

— Seria apenas mais uma brincadeira. Arriscada, porém possível. Mas eu acho muito mais provável que ela tenha escondido o corpo em alguma parte e apenas atirado o chapéu no Helm. É possível, sabe, que ela, conhecendo bem a casa e o terreno em torno, soubesse de algum lugar onde se possa esconder um corpo. Pode ter conseguido livrar-se dele atirando-o ao rio, mais tarde. Quem sabe? Caso, naturalmente, ela tenha feito isso — acrescentou o Inspetor Bland, refletindo melhor. — Mas, na verdade, senhor, eu insisto em De Sousa...

O Delegado Merrall estava tomando algumas notas num caderninho. Ergueu os olhos em seguida, pigarreando.

— Vejamos, então. Podemos resumir tudo da seguinte maneira: temos cinco ou seis pessoas que *poderiam* ter matado Marlene Tucker. Algumas delas são mais prováveis do que as outras, mas não sabemos mais nada além disso. De maneira geral, sabemos *por que* ela foi morta. Foi morta porque sabia de alguma coisa. Mas até descobrirmos *exatamente* o que ela viu — *não saberemos quem a matou.*

— Colocado nesses termos, parece meio complicado, senhor.

— Ah, é complicado. Mas vamos chegar lá, no final.

— E, enquanto isso, aquele sujeito terá partido da Inglaterra — rindo para si mesmo — após escapar impune de dois assassinatos.

— Tem bastante certeza disso, não? Não digo que está enganado. Porém...

O delegado ficou silencioso por alguns momentos e depois disse com um encolher de ombros:

— De qualquer maneira, é melhor do que ter de enfrentar um desses assassinos psicopatas. Estaríamos, provavelmente, com um terceiro assassinato a nosso cargo, agora.

— Dizem que as coisas sempre acontecem três de cada vez — comentou o inspetor, com ar sombrio.

Ele repetiu a observação na manhã seguinte quando soube que o velho Merdell, ao voltar para casa, de uma visita ao seu bar favorito, do outro lado do rio, em Gitcham, deveria ter ultrapassado suas libações costumeiras, pois tinha caído no rio, quando chegava ao cais. Seu barco foi encontrado à deriva, e o corpo do velho resgatado aquela noite.

O inquérito foi curto e simples. A noite estava escura e nublada, o velho Merdell tomara três canecos de cerveja e, afinal de contas, tinha noventa e dois anos.

O veredicto foi "morte acidental".

16

HERCULE POIROT estava sentado numa cadeira quadrada, diante da lareira quadrada da sala quadrada de seu apartamento em Londres. Diante dele havia vários objetos que não eram quadrados: em vez disso, tinham formas agressivas, quase impossivelmente curvas. Cada um, estudado em separado, aparentemente não tinha qualquer função concebível num mundo formal. Pareciam improváveis, irresponsáveis e completamente fortuitos. Na verdade, é claro, não eram nada disso.

Avaliados corretamente, tinha cada um o seu lugar particular, num universo particular. Colocados em seu lugar próprio, em seu universo próprio, não só faziam sentido como formavam um quadro. Em outras palavras; Hercule Poirot estava armando um quebra-cabeça.

Ele olhou para o ponto onde um retângulo ainda apresentava vazios de formas improváveis. Era uma ocupação que achava relaxante e agradável. Transformava em ordem a desordem. Tinha, refletiu, uma certa semelhança com sua profissão. Também nela a pessoa encontrava vários fatos com formas improváveis e inverossímeis e que, embora parecendo não se relacionar em absoluto entre si, tinha cada qual a sua parte adequadamente equilibrada para a composição do todo. Seus dedos pegaram habilmente uma improvável peça cinzenta-escura e a encaixaram num céu azul. Era, ele percebia agora, parte de um avião.

— Sim — murmurou Poirot para si mesmo —, é isto que precisamos fazer. Uma peça improvável aqui, outra peça inverossímil acolá, a peça, ah-tão-racional que não é o que parece, todas elas têm o seu lugar próprio e, uma vez encaixadas, *eh bien,* o caso chega ao fim! Tudo se esclarece. Tudo, como dizem hoje em dia, se *insere num contexto.*

Ele encaixou, sucessivamente, uma pequena peça que era um minarete, outra peça que parecia parte de uma barraca listrada e era, na realidade, a parte traseira de um gato e uma peça que faltava, um pôr do sol que mudava, com uma rapidez de quadro de Turner, de laranja para cor-de-rosa.

Se a pessoa soubesse o que procurar, seria tão fácil, disse Hercule Poirot para si mesmo. Mas não sabemos o que procurar. E então buscamos os lugares errados para as coisas erradas. Ele suspirou aflito. Seus olhos desviaram-se do quebra-cabeça que tinha diante de si para a cadeira do outro lado da lareira. Ali, há menos de meia hora, estava sentado o Inspetor Bland, tomando chá com bolinhos (bolinhos quadrados) e falando tristemente. Ele tivera de vir a Londres para tratar de assuntos da polícia e, encerrados os negócios profissionais, tinha vindo visitar Monsieur Poirot. Imaginava, segundo explicou, que talvez Monsieur Poirot tivesse alguma ideia. Então, começou a explicar suas próprias ideias. Em todos os pontos que ele esboçou, Poirot concordou com ele. O Inspetor Bland, pensava Poirot, fizera um resumo muito justo e sem preconceitos do caso.

Já decorria um mês, quase cinco semanas, desde que os eventos da mansão Nasse tinham acontecido. Cinco semanas de estagnação e negações. O corpo de Lady Stubbs não fora recuperado. Lady Stubbs, caso estivesse viva, não fora encontrada. As possibilidades, observou o Inspetor Bland, eram muito mais de que estivesse morta. Poirot concordou com ele.

— Naturalmente — disse Bland —, o corpo pode não ter sido carregado. Não se pode saber o que acontece com um corpo, dentro da água. *Ainda* pode emergir, embora vá estar irreconhecível, quando isto ocorrer.

— Há uma terceira possibilidade — observou Poirot.

Bland fez um sinal afirmativo com a cabeça.

— Sim — disse —, já pensei nisso. Não paro de pensar nisso, na verdade. Quer dizer que o corpo está lá, em Nasse, escondido em algum canto onde nunca pensamos em procurar. Pode ser. Pode muito bem ser. No caso de uma mansão antiga, com um terreno daqueles, há lugares nos quais nunca se pensaria, que jamais saberíamos existirem.

Fez uma pausa, por um momento, ficou ruminando e depois disse:

— Existe uma casa onde estive há poucos dias. Mandaram construir um abrigo antiaéreo, sabe, durante a guerra. Um tipo de coisa frágil, mais ou menos improvisada, no jardim, junto à parede da casa, e fizeram também uma passagem levando dali até dentro da casa, na adega. Bom, a guerra acabou, os abrigos desmoronaram, eles fizeram no lugar montículos irregulares, uma espécie de canteiro de pedras. Caminhando por aquele jardim, agora, jamais pensaríamos que aquilo era, outrora, um abrigo antiaéreo, e havia um compartimento embaixo. Qualquer pessoa diria que desde o começo tinha sido projetado como um recanto de pedras ornamentais. Mas o tempo todo, por trás de uma porção de barris de vinho, na adega, ali se encontrava a passagem. É isso que quero dizer. Esse tipo de coisa. Algum tipo de caminho para um lugar que ninguém de fora saberia existir. Não creio que exista ali algum esconderijo de padres[2], ou algo parecido, não é?

— Dificilmente — naquele período, não.

— É o que diz o sr. Weyman — segundo ele, a casa foi construída por volta de 1790. Não havia razão para os padres se esconderem naquela ocasião. Mesmo assim, pode haver, em alguma parte, uma alteração na estrutura, algo que uma pessoa da família pudesse conhecer. O que acha, Monsieur Poirot?

— É possível sim — disse Poirot. — *Mais oui,* decididamente é uma ideia. Se aceitarmos a possibilidade, então a etapa seguinte

---

[2] Nota do tradutor — esconderijos construídos por padres para se refugiarem em períodos de perseguição religiosa. No original, "Priest's Hole".

é perguntar: quem saberia disso? Qualquer pessoa que ficasse na casa *poderia* saber, suponho?

— Sim. Naturalmente, isto excluiria De Sousa. — O inspetor parecia insatisfeito. De Sousa ainda era seu suspeito favorito.

— Como diz, qualquer pessoa que morasse na casa, como um criado ou alguém da família, poderia saber a respeito. Alguém que apenas estivesse hospedado na casa seria menos provável. E pessoas que só fossem ali, vindas de fora, como os Legge, menos provável ainda.

— A pessoa que certamente saberia de uma coisa dessas e poderia dizer-lhes, se lhe perguntasse, seria a sra. Folliat — disse Poirot.

A sra. Folliat, pensou ele, sabia tudo que havia para saber a respeito da mansão Nasse. A sra. Folliat sabia uma porção de coisas... Ela soube imediatamente que Hattie Stubbs estava morta. A sra. Folliat sabia, antes de Marlene e Hattie Stubbs morrerem, que este é um mundo muito mau, cheio de pessoas muito más. A sra. Folliat, pensou Poirot aflito, era a chave de todo o caso. Mas a sra. Folliat, refletiu ele, era uma chave que não entraria facilmente na fechadura.

— Conversei com ela várias vezes — disse o inspetor. — Foi muito gentil, muito cortês com relação a tudo, e parecia muito aborrecida por não poder sugerir nada de útil.

Não podia ou não queria? pensou Poirot. Bland talvez pensasse a mesma coisa.

— Existe um tipo de senhora — disse ele — que não se pode forçar a fazer nada. Não podemos assustá-las, persuadi-las ou enganá-las.

Não, pensou Poirot, não seria possível forçar, persuadir ou enganar a sra. Folliat.

O inspetor acabou de tomar seu chá, suspirou e foi embora, e então Poirot pegou seu quebra-cabeça, para aliviar a crescente exasperação. Pois estava exasperado. Exasperado e humilhado. A sra. Oliver o chamara, a ele, Hercule Poirot, para elucidar um mistério. Ela sentiu que havia algo errado, e *havia* algo errado.

E confiou em Hercule Poirot, em primeiro lugar para impedir que aquilo acontecesse, e ele não impediu; e em segundo para descobrir o assassino, ele *não* descobriu. Estava às escuras, naquele tipo de escuridão atravessada, às vezes, por desconcertantes raios de luz. De vez em quando, ou pelo menos assim lhe parecia, tinha uma dessas visões. E, em todas as ocasiões, não conseguiu penetrar mais além. Não conseguiu avaliar a importância daquilo que lhe pareceu, por um rápido momento, ter visto.

Poirot ergueu-se, passou para o outro lado da lareira, tornou a ajeitar a segunda cadeira quadrada, de modo a formar um ângulo geométrico definido, e se sentou nela. Tinha passado de um quebra-cabeça de madeira e cartolina pintada para o quebra-cabeça de um assassinato. Tirou do bolso um caderno de notas e escreveu com pequenas letras bem desenhadas: Etienne de Sousa, Amanda Brewis, Alec Legge, Sally Legge, Michael Weyman.

Era fisicamente impossível que Sir George ou Jim Warburton tivessem assassinado Marlene Tucker. Como não era fisicamente impossível que a sra. Oliver tivesse feito isso, ele acrescentou seu nome, após um breve espaço. Também acrescentou o nome da sra. Masterton, pois não se lembrava, por experiência própria, de ter visto a sra. Masterton constantemente no gramado entre as quatro horas e quinze para as cinco. Acrescentou o nome de Henden, o mordomo; mais, talvez, porque um mordomo sinistro figurava na Caçada ao Assassino da sra. Oliver do que por ter, realmente, qualquer suspeita do artista moreno do bastão do gongo. Também anotou "Rapaz com camisa de tartaruga" e colocou, em seguida, uma interrogação. Depois sorriu, abanou a cabeça, tirou um alfinete da lapela do paletó, fechou os olhos e espetou-o. Era um método tão bom quanto qualquer outro, pensou.

Ficou justificavelmente aborrecido quando o alfinete se encravou na última anotação.

— Eu sou um imbecil — disse Hercule Poirot. — O que tem a ver com tudo isso um rapaz com camisa de tartaruga?

Mas também percebeu que ele deveria ter tido alguma razão para incluir esse enigmático personagem na sua lista. Lembrou-se outra vez do dia em que estava sentado na Extravagância e da surpresa estampada no rosto do rapaz ao vê-lo ali. Não era um rosto muito agradável, apesar da boa aparência juvenil. Um rosto arrogante e implacável. Ele tinha ido encontrar alguém e acontece que aquele alguém era uma pessoa a quem ele não podia ou não queria encontrar abertamente. Era um encontro, de fato, que não deveria chamar a atenção de ninguém. Um encontro culposo. Não teria algo a ver com o assassinato?

Poirot continuou com suas reflexões. Um rapaz que estava hospedado no Albergue da Juventude, ou seja, um rapaz que estaria por ali dois dias, não mais. Teria ido para lá casualmente? Um dos muitos estudantes visitando a Inglaterra? Ou viera com um objetivo especial, para encontrar alguma pessoa especial? Poderia ter havido um encontro aparentemente casual, no dia da festa — possivelmente tinha sido isso.

Sei uma porção de coisas, disse Hercule Poirot, para si mesmo. Tenho em minhas mãos muitas, muitíssimas peças deste quebra-cabeça. Tenho uma ideia do *tipo* de crime que foi — mas não devo estar olhando para a direção certa.

Virou uma página de seu caderno de notas e escreveu: *Será que Lady Stubbs pediu à srta. Brewis para levar chá para Marlene? Se não, por que a srta. Brewis disse que ela pediu?*

Ficou considerando a questão. A srta. Brewis poderia, com muita facilidade, ter pensado ela própria em levar bolo e um suco de fruta para a menina. Mas, se fosse assim, por que não disse isto, simplesmente? Por que mentir, dizendo que Lady Stubbs lhe pediria? Poderia isto ter acontecido porque a srta. Brewis foi ao abrigo dos barcos e *encontrou Marlene morta*? A não ser que a srta. Brewis fosse a culpada do crime, parecia muito improvável. Ela não era uma mulher nervosa e nem dada a fantasias. Se tivesse achado a menina morta, com certeza não teria dado o alarme imediatamente?

Ele ficou examinando por algum tempo as duas perguntas que tinha escrito. Não podia deixar de sentir que alguma coisa, naquelas palavras, era um indicador vital para a verdade que lhe escapava. Depois de pensar ainda quatro ou cinco minutos, escreveu algo mais.

Etienne de Sousa declara que escreveu para sua prima três semanas antes de chegar à mansão Nasse. A declaração foi falsa ou verdadeira?

Poirot teve quase certeza de que era falsa. Lembrou-se da cena à mesa do desjejum. Parecia não haver razão alguma para Sir George ou Lady Stubbs fingirem estar surpresos e, no caso dela, tão pasmada, caso não estivesse. Ele não conseguia descobrir nenhum objetivo que este comportamento buscasse alcançar. Admitindo, entretanto, que Etienne de Sousa tinha mentido, *por que* o fizera? Para dar a impressão de que sua visita fora anunciada e bem recebida? Talvez, mas a razão parecia muito duvidosa. Não havia, certamente, nenhuma *prova* de que tal carta tivesse sido jamais escrita ou recebida. Seria uma tentativa de De Sousa para mostrar sua *bona fides?* Fazer a visita parecer natural, e até mesmo esperada? Certamente, Sir George o recebera com bastante cordialidade, embora não o conhecesse.

Poirot fez uma pausa e parou de pensar. *Sir George não conhecia De Sousa. Sua mulher, que o conhecia, não o vira.* Havia alguma coisa, quem sabe, *nisto?* Seria possível que o Etienne de Sousa vindo no dia da festa não fosse o verdadeiro Etienne de Sousa? Ele examinou detidamente a ideia mas, outra vez, não conseguia enxergar nenhum objetivo nisso. O que tinha De Sousa a ganhar apresentando-se como De Sousa, se não era De Sousa? De qualquer maneira, De Sousa não tirava nenhum benefício com a morte de Hattie. Hattie, como a polícia verificara, não tinha dinheiro algum, exceto o que lhe era dado pelo marido.

Poirot tentou lembrar-se exatamente do que ela lhe disse, aquela manhã. "Ele é um homem mau. Ele faz coisas ruins." E, segundo Bland, ela tinha dito ao marido: "Ele mata gente".

Havia algo bastante significativo nisso, quando se examinava todos os fatos. *Ele mata gente.*

No dia em que Etienne de Sousa chegou à mansão Nasse, uma pessoa fora morta com certeza, possivelmente duas pessoas. A sra. Folliat disse que não se deveria prestar atenção alguma a esses melodramáticos comentários de Hattie. Ela disse isso com muita insistência. A sra. Folliat...

Hercule Poirot franziu a testa e depois deu uma palmada no braço da cadeira, causando um ruído.

— Sempre, sempre volto à sra. Folliat. Ela é a chave para todo o caso. Se eu soubesse o que ela sabe... Não posso mais continuar sentado numa poltrona, só pensando. Não, devo tomar um trem, ir novamente a Devon e visitar a sra. Folliat.

II

Hercule Poirot parou um momento do lado de fora dos grandes portões de ferro lavrado da mansão Nasse. Olhava para a frente, ao longo da estrada pavimentada, que fazia uma curva. Não era mais verão. Folhas marrom-dourado caíam lentamente das árvores. Muito próximas, as encostas gramadas estavam coloridas por pequenos lilases-ciclame. Poirot suspirou. A beleza do lugar atraía-o, sem que pudesse conter-se. Não era um grande admirador da natureza selvagem, gostava das coisas arrumadas e limpas, e não podia deixar de apreciar a macia beleza natural dos arbustos e árvores bem colocados.

À sua esquerda, estava a pequena casa do porteiro, com seu pórtico branco. Era uma tarde muito bonita. Provavelmente, a sra. Folliat não estaria em casa. Deveria ter saído para alguma parte com sua cesta de jardinagem, ou então para visitar amigos, nas vizinhanças. Ela tinha muitos amigos. Este era seu lar, e fora seu lar por longos anos. O que dissera o velho no cais? "Sempre haveria Folliat na mansão Nasse."

Poirot bateu suavemente à porta da casinha. Depois de uma espera de alguns momentos, ouviu ruídos de passos do lado de dentro. Segundo lhe pareceu, eram lentos e quase hesitantes. Depois, a porta foi aberta e a sra. Folliat apareceu, emoldurada pelos umbrais. Ele ficou espantado de ver como seu aspecto estava envelhecido e frágil. Ela o olhou por uns momentos, com ar incrédulo, e depois disse:

— Monsieur Poirot! O senhor!

Durante um instante ele pensou ter visto um brilho de medo nos olhos dela, mas talvez fosse apenas imaginação. Ele disse, cortesmente:

— Posso entrar, Madame?

— À vontade.

Ela agora tinha recuperado toda sua pose e convidou-o a entrar, com um gesto, conduzindo-o para sua pequena sala de visitas. Havia algumas delicadas figurinhas de Chelsea sobre a cornija da lareira, um par de cadeiras forradas com um belo *petit point* e um serviço de chá Derby sobre a mesinha. A sra. Folliat disse:

—Vou pegar outra xícara.

Poirot ergueu a mão, num protesto não muito convincente, mas ela o ignorou.

Saiu da sala. Ele olhou em torno de si mais uma vez. Um bordado, um assento de cadeira em *petit point,* estava sobre uma mesa, com uma agulha enfiada.

Encostada à parede havia uma estante com livros. Na parede, um pequeno grupo de miniaturas e uma desbotada fotografia, numa moldura de prata, mostrando um homem de uniforme com um bigode duro e queixo delicado.

A sra. Folliat voltou para a sala, com uma xícara e pires na mão.

Poirot disse: — Seu marido, Madame?

— Sim.

Observando que os olhos de Poirot percorriam o alto da estante como se procurassem outras fotografias, ela disse, bruscamente:

— Não gosto de fotografias. Fazem a gente viver demasiadamente no passado. Precisamos aprender a esquecer. Devemos cortar os galhos mortos.

Poirot lembrou-se da primeira vez em que vira a sra. Folliat, e ela estava podando, com uma tesoura de jardinagem, um arbusto na encosta que levava ao rio. Ela tinha dito então, ele recordava, algo sobre galhos mortos. Olhou-a pensativamente, avaliando-lhe o caráter. Uma mulher enigmática, pensou, e uma mulher que, apesar da suave fragilidade de sua aparência, tinha um lado implacável. Uma mulher que cortaria os galhos mortos não só das plantas, mas de sua própria vida...

Ela se sentou e encheu uma xícara de chá, perguntando:

— Leite? Açúcar?

— Três torrões, por gentileza, Madame.

Ela lhe entregou sua xícara e disse, em tom de conversa social:

— Fiquei surpresa ao vê-lo. De alguma maneira, imaginei que não tornaria a passar por esta parte do mundo.

— Não estou exatamente passando por aqui — disse Poirot.

— Não? — Ela o interrogou, com as sobrancelhas ligeiramente erguidas.

— Minha visita é intencional.

Ela ainda o olhava, com ar inquisitivo.

—Vim a esta parte do mundo para vê-la, Madame.

— Realmente?

— Em primeiro lugar, não houve nenhuma notícia da jovem Lady Stubbs?

A sra. Folliat abanou a cabeça.

— Apareceu um corpo outro dia em Cornwall — disse. — George foi ver se podia identificá-lo. Mas não era ela. — Acrescentou: — Tenho muita pena de George. A tensão foi muita.

— Ele ainda acredita que a esposa possa estar viva?

Lentamente, a sra. Folliat fez um sinal negativo com a cabeça.

— Acho — disse — que ele abandonou toda esperança. Afinal, se Hattie estivesse viva, não poderia esconder-se com toda a imprensa e a polícia a procurá-la. Mesmo se algo como uma perda de memória lhe tivesse acontecido... bem, claro que os policiais a teriam encontrado agora, não?

— É o que parece, sim — disse Poirot. — A polícia ainda está fazendo buscas?

— Suponho que sim. Realmente não sei.

— Mas Sir George não tem mais esperanças.

— Ele não diz isso — declarou a sra. Folliat. Claro que não o tenho visto, ultimamente. Ele tem passado a maior parte do tempo em Londres.

— E a menina assassinada? Não houve nada de novo aqui?

— Que eu saiba, não. — Ela acrescentou — É um crime que parece sem sentido, absolutamente sem sentido. Pobre criança...

— Vejo que ainda a perturba pensar nela, Madame.

A sra. Folliat não respondeu, por alguns momentos. Depois disse:

— Acho que quando se é velho, a morte de um ser jovem nos perturba excessivamente. Nós velhos esperamos morrer, mas aquela menina tinha a vida inteira diante de si.

— Poderia não ter sido uma vida muito interessante.

— Talvez não, do nosso ponto de vista, mas poderia ter sido interessante para ela.

— E embora, como diz, nós velhos estejamos preparados para morrer — disse Poirot —, realmente não desejamos isto. Pelo menos, *eu* não quero. Ainda acho a vida interessante.

— Não creio que eu ache.

Ela falou mais para si mesma do que para ele, e seus ombros se curvaram ainda mais.

— Estou muito cansada, Monsieur Poirot. Estarei não só preparada mas agradecida, quando chegar a hora.

Ele lhe lançou um rápido olhar. Ficou imaginando, como tinha imaginado antes, se era uma mulher doente que conversava com ele, uma mulher que talvez tivesse o conhecimento ou mesmo a certeza da aproximação da morte. Não podia explicar de outra maneira o intenso cansaço e a lassidão de sua atitude. Essa lassidão, ele sentiu, não era realmente característica sua. Amy Folliat, sentiu, era uma mulher de caráter, energia e determinação. Atravessara muitos problemas, perda de sua casa, perda da saúde, a morte dos filhos. A tudo isso, percebeu, ela sobrevivera. Cortara os "galhos mortos", como ela própria dissera. Mas havia alguma coisa agora em sua vida que não podia cortar, que ninguém podia cortar para ela. Se não era doença física, ele não sabia o que poderia ser. Ela deu um repentino sorrisinho, como se estivesse lendo seus pensamentos.

— Realmente, sabe, não tenho muita razão para viver, Monsieur Poirot — disse. — Tenho muitos amigos, mas nenhuma relação íntima, nenhum parente.

— A senhora tem o seu lar — disse Poirot num impulso.

— Quer dizer Nasse? Sim...

— É *seu* lar, não é, embora tecnicamente seja propriedade de Sir George Stubbs? Agora Sir George Stubbs foi para Londres, a senhora governa em seu lugar.

Outra vez, Poirot observou a expressão repleta de medo nos olhos dela. Quando falou, sua voz tinha um toque gélido.

— Não sei exatamente o que quer dizer, Monsieur Poirot. Sou grata a Sir George por me alugar esta casa, mas eu *realmente* a alugo. Pago a ele uma soma anual que me dá o direito de caminhar pelo terreno.

Poirot fez um gesto com as mãos.

— Peço desculpas, Madame. Não tive a intenção de ofendê-la.

— Sem dúvida, não o entendi bem — disse a sra. Folliat, friamente.

— É um belo lugar — disse Poirot. — Uma linda casa, jardins maravilhosos. Existe aqui uma grande paz, uma grande serenidade.

— Sim. — O rosto dela se iluminou. — Sempre sentimos isso. Senti isso quando era menina e vim aqui pela primeira vez.

— Mas existe a mesma paz e serenidade *agora*, Madame?

— Por que não?

— Crime não punido — disse Poirot. — Derramamento de sangue inocente. Até essa sombra sumir não haverá paz. — Ele acrescentou: — Acho que sabe disso, Madame, tão bem quanto eu.

A sra. Folliat não respondeu. Não se moveu e nem falou. Ficou sentada, completamente imóvel, e Poirot não tinha a menor ideia do que ela estava pensando. Ele se inclinou um pouco para a frente e tornou a falar.

— Madame, a senhora sabe muita coisa, talvez tudo, a respeito desse assassinato. Sabe quem matou aquela menina, sabe *por quê*. Sabe quem matou Hattie Stubbs e sabe, talvez, onde está seu cadáver agora.

Então a sra. Folliat falou. Sua voz era alta, quase áspera.

— Não sei de nada — disse. — *Nada.*

— Talvez eu tenha empregado a palavra errada. A senhora não sabe, mas acho que *supõe,* Madame. Tenho absoluta certeza de que supõe.

— Agora o senhor está sendo, desculpe, absurdo!

— Não é absurdo. É algo completamente diferente. É *perigoso.*

— Perigoso? Para quem?

— Para a senhora, Madame. Enquanto mantiver em segredo o que sabe, está em perigo. Conheço os assassinos melhor do que a sra, Madame.

— Já lhe disse que não sei de nada.

— Suspeita, então...

— Não tenho suspeitas.

— Desculpe, Madame, mas isto não é verdade.

— Expressar simples suspeitas seria errado, na verdade, seria uma maldade.

Poirot inclinou-se para a frente.

— Uma maldade tão grande quanto a que fizeram aqui, há exatamente um mês?

Ela se encolheu na cadeira, recolheu-se em si própria. Disse, quase num sussurro:

— Não me fale disso. — Depois acrescentou, com um longo suspiro trêmulo: — De qualquer maneira, agora acabou. Está feito; encerrado.

— Como pode dizer isso, Madame? Eu lhe afirmo, por experiência própria, que, em se tratando de um assassino, nada está encerrado.

Ela abanou a cabeça.

— Não. Não. Acabou. E, de qualquer maneira, não há nada que *eu* possa fazer. Nada.

Ele se levantou e ficou olhando para ela. Quase com impaciência, ela disse:

— Ora, até a polícia desistiu.

Poirot abanou a cabeça.

— Ah, não Madame, a senhora se engana. A polícia não desiste. E eu — acrescentou — também não desisto. Lembre-se disso, Madame. Eu, Hercule Poirot, não desisto.

Foi uma fala final muito típica.

17

APÓS PARTIR DE NASSE, Poirot foi para a vila e lá, fazendo perguntas, acabou achando o chalé ocupado pelos Tucker. Sua batida à porta ficou sem resposta por alguns momentos, pois era apagada pelo tom alto da voz da sra. Tucker lá dentro.

— E o que tem na cabeça, Jim Tucker, para pisar com essas suas botas no meu linóleo limpo? Já lhe falei uma vez e vou falar mil vezes. Passei a manhã toda limpando, foi sim, e agora veja como está.

Um fraco resmungo mostrou a reação do sr. Tucker a esses comentários. No geral, era um resmungo conciliador.

—Você não tem por que esquecer. É toda essa ânsia para ouvir as notícias de esporte no rádio. Ora, não levaria dois minutos pra você tirar essas botas. E você, Gary, vê o que faz com esse pirulito. Não vou querer esses dedos grudentos no meu melhor bule de chá, de prata. Marilyn, tem alguém na porta. Vá ver quem é.

A porta foi aberta cautelosamente e uma menina de cerca de onze ou doze anos espiou Poirot com suspeita. Uma das bochechas estava protuberante como um bombom. Era uma criança gorda, com pequenos olhos azuis e uma beleza semelhante à de um porquinho.

— É um senhor, mamãe — gritou.

A sra. Tucker, com mechas de cabelo caindo-lhe sobre o rosto um tanto acalorado, veio à porta.

— O que é? — perguntou, asperamente. — Não precisamos... — Fez uma pausa, e um leve ar de reconhecimento lhe veio ao rosto. — Ora, deixe-me ver, eu não encontrei o senhor com a polícia, aquele dia?

— Que pena, Madame, que eu lhe traga lembranças tristes — disse Poirot — entrando firmemente pela porta adentro.

A sra. Tucker lançou uma olhada rápida e agoniada para seus pés, mas os pontudos sapatos de verniz de Poirot só haviam caminhado pela rodovia. Nenhuma lama estava sendo depositada no lindíssimo linóleo da sra. Tucker.

— Entre, por favor, senhor — disse ela, recuando diante dele e abrindo a porta de um cômodo à sua direita.

Poirot foi introduzido numa pequena sala de visitas devastadoramente limpa. Cheirava a verniz de móveis e a Brasso e continha uma mobília de carvalho escuro, com uma mesa redonda, dois gerânios em potes, uma elaborada grade de lareira em latão e uma porção de enfeites de porcelana.

— Sente-se, por favor. Não consigo lembrar seu nome. Na verdade, não sei se cheguei a saber.

— Meu nome é Hercule Poirot — disse Poirot rapidamente. — Tive de vir mais uma vez a esta parte do mundo e vim aqui para lhe dar os meus pêsames e perguntar-lhe se foram feitas novas descobertas. Confio que o assassino de sua filha será encontrado.

— Não há nem sinal dele — disse a sra. Tucker, falando com alguma amargura. — E é uma vergonha o senhor estar me perguntando. Na minha opinião, a polícia não se incomoda quando é coisa com gente simples feito nós. O que é a polícia, afinal de contas? Se são todos como Bob Hoskins, eu fico imaginando por que o país inteiro não é um mar de crimes. Tudo que Bob Hoskins faz é passar o tempo a espiar os carros estacionados no Common.

A essa altura, o sr. Tucker, já sem as botas, apareceu à porta, caminhando só de meias. Era um homem grandalhão, com rosto corado de expressão pacata.

— A polícia não tem nada errado — disse, com voz rouca. — Eles enfrentam os problemas deles, como todo mundo. Esses tarados por aí não são fáceis de achar. O aspecto deles é como o seu, ou o meu, entende? — ele acrescentou, falando diretamente a Poirot.

A menina que abrira a porta para Poirot apareceu por trás do pai, e um menino de cerca de oito anos meteu a cabeça por cima do ombro dela. Todos olhavam para Poirot com intenso interesse.

— É sua filha mais nova, eu acho — disse Poirot.

— Ah, é a Marilyn — disse a sra. Tucker. — E esse é Gary. Venha cumprimentar este senhor, Gary, e veja como se comporta.

Gary se afastou.

— Ele é meio tímido — disse a mãe.

— Foi muita gentileza sua — disse o sr. Tucker — vir perguntar sobre Marlene. Foi um negócio terrível, aquele.

— Acabei de visitar a sra. Folliat — disse Monsieur Poirot. — Ela também parece sentir muito o que aconteceu.

— Desde aquela ocasião ela não está com bom aspecto — disse a sra. Tucker. — É uma senhora idosa e aquilo foi um choque para ela, acontecendo assim em sua própria propriedade.

Poirot observou mais uma vez a crença inconsciente de todos de que a mansão Nasse ainda pertencia à sra. Folliat.

— Fez ela se sentir responsável, de certa maneira — disse a sra. Tucker —, embora não tivesse nada a ver com o assunto.

— Quem realmente sugeriu que Marlene desempenhasse o papel de vítima? — perguntou Poirot.

— A senhora de Londres, que escreve os livros — disse a sra. Tucker prontamente.

Poirot disse, com brandura:

— Mas ela era uma estranha aqui. Nem mesmo conhecia Marlene.

— Era a sra. Masterton quem reunia as meninas — disse a sra. Tucker — e acho que foi a sra. Masterton quem disse para Marlene fazer aquilo. E Marlene, devo dizer, ficou muito satisfeita com a ideia.

Poirot mais uma vez sentiu que ia dar numa parede vazia. Mas agora sabia o que a sra. Oliver tinha sentido quando mandou chamá-lo no início. Alguém trabalhara no escuro, alguém que fizera prevalecer os seus desejos através de outras personalidades reconhecidas. A sra. Oliver, a sra. Masterton, esses eram os rostos que apareciam. Disse:

— Fiquei pensando, sra. Tucker, se Marlene já conhecia esse... ahn... louco assassino.

— Ela não poderia conhecer ninguém assim — disse a senhora Tucker virtuosamente.

— Ah — disse Poirot —, mas seu marido acabou de observar que esses loucos são difíceis de identificar. Parecem iguais à senhora ou a mim. Alguém pode ter falado com Marlene na festa, ou até antes. Fez amizade com ela de maneira perfeitamente inofensiva. Talvez lhe tenha dado presentes.

— Ah, não senhor, não houve nada disso. Marlene não ia receber presentes de um estranho. Eu lhe dei uma boa criação para isso não acontecer.

— Mas talvez ela não visse nada de mal nisso — disse Poirot insistindo. — Vamos supor que tenha sido uma boa senhora quem lhe oferecia os presentes.

— Alguém, quer dizer, como a jovem sra. Legge, lá no chalé Mill.

— Sim — disse Poirot —, alguém como ela.

— Ela deu a Marlene um batom, uma vez — disse a sra. Tucker. — Fiquei furiosa da vida, ah, fiquei. Não vou deixar você pôr essa sujeira na cara, Marlene, eu disse. Pense no que seu pai vai dizer. Bom, ela falou, pode ser uma porcaria, mas quem me deu foi a senhora lá do chalé Lawder. Disse que ia ficar bem em mim, disse sim. Bom, eu respondi, não fique escutando o que essas senhoras de Londres dizem. É muito bom para *elas* pintar o rosto e escurecer os cílios e tudo mais. Mas você é uma menina direita, eu falei, e lave a cara com sabão e água, até ficar bem mais velha do que é agora.

— Mas ela não concordou com a senhora, não foi? — disse Poirot, sorrindo.

— Quando eu digo uma coisa é pra valer — respondeu a

sra. Tucker.

A gorda Marilyn deu de repente uma risadinha divertida. Poirot lançou para ela um olhar agudo.

— A sra. Legge deu a Marlene mais alguma coisa? — perguntou.

— Acho que deu a ela um lenço, ou coisa assim — que ela nunca ia poder usar. Era vistoso, mas não muito fino. Eu sei quando uma coisa é de boa qualidade — disse a sra. Tucker, balançando a cabeça. — Eu trabalhava na mansão Nasse, quando era menina, foi sim. As senhoras usavam roupas muito elegantes naquele tempo. Nada de cores berrantes nem todo esse *nylon* e *rayon;* seda boa, de verdade. Ora, alguns daqueles vestidos de tafetá podiam até ficar em pé sozinhos.

— As meninas gostam muito de enfeites — disse o sr. Tucker, com indulgência. — Eu não me importo com cores vivas, mas não suporto é essa sujeira de batom.

— Eu fui meio dura com ela — disse a sra. Tucker, com os olhos repentinamente úmidos — e ela morreu daquela forma horrível. Depois, fiquei desejando não ter falado assim com tanta dureza. Ah, nos últimos tempos só acontecem problemas e enterros, parece. Os problemas nunca vêm sozinhos, dizem, e é mesmo verdade.

— Sofreu outras perdas? — perguntou Poirot, cortesmente.

— O pai da minha mulher — explicou o sr. Tucker. — Estava atravessando o rio em seu barco, vindo de Three Dogs, tarde da noite, deve ter escorregado quando ia descer no cais e caiu no rio. Claro que deveria ter ficado em casa quieto, na idade dele. Mas a gente não consegue controlar os velhos. Sempre zanzando pelo cais, era o que fazia.

— Papai sempre trabalhou muito bem com barcos — disse a sra. Tucker. — Tomava conta deles, nos velhos tempos, para o sr. Folliat, há muitos anos. — Não — acrescentou com vivacidade — que a perda de papai tenha sido assim tão grande. Ele tinha mais de noventa anos e era irritante, em várias coisas que fazia. Estava sempre tagarelando uma bobagem qualquer. Já era tempo para ele partir. Mas, claro, tivemos de lhe dar um bom enterro, e as despesas de dois funerais são um bocado de dinheiro.

Essas reflexões econômicas não foram bem escutadas por Poirot; uma leve lembrança começava a despertar nele.

— Um velho — no cais? Eu me lembro de ter falado com ele. Qual era seu nome...?

— Merdell, senhor. Este era meu nome antes de me casar.

— Seu pai, se me lembro bem, não foi o chefe dos jardineiros em Nasse?

— Não, foi meu irmão mais velho. Eu era a mais nova da família — havia nove de nós. — Ela acrescentou com algum orgulho: — Tem Merdell em Nasse há anos, mas estão todos espalhados, agora. Papai era o último.

Poirot disse, baixinho:

— *Sempre haverá Folliat na mansão Nasse.*

— Como, senhor?

— Estou repetindo o que seu velho pai me disse, no cais.

— Ah, o papai falava uma porção de tolices. Eu tinha de usar energia para fazer ele calar a boca de vez em quando.

— Então Marlene era a neta de Merdell — disse Poirot. — Sim, começo a entender. — Ficou calado por um momento, com uma imensa excitação crescendo dentro dele. — Seu pai morreu afogado, segundo disse, no rio?

— Sim, senhor. Bebeu demais, foi isso. E onde conseguiu dinheiro eu não sei. Claro que costumava ganhar gorjetas, de vez em quando, no cais, ajudando as pessoas com os barcos ou a estacionarem seus carros. Ele era muito esperto quando queria esconder dinheiro de mim. Sim, acho que bebeu demais. E escorregou, parece, ao descer do barco no cais. Então caiu e se afogou. Seu corpo apareceu em Helmmouth no dia seguinte. É incrível, a gente poderia comentar, que não tenha acontecido antes, estando ele com noventa e dois anos e quase cego.

— Mas o fato é que *não* aconteceu antes...

— Bom, acidentes acabam acontecendo, mais cedo ou mais tarde.

— Acidente — cogitou Poirot. — Não sei, não.

Ele se levantou. Murmurou:

— Eu devia ter adivinhado. Adivinhado há muito tempo. A menina praticamente me disse...

— Como, senhor?

— Não é nada — disse Poirot. — Mais uma vez quero apresentar-lhes os meus pêsames, tanto pela morte de sua filha como a de seu pai.

Apertou as mãos dos dois e saiu da casinha. Disse para si mesmo:

— Tenho sido tolo — muito tolo. Olhei para tudo de maneira errada.

— Oi, senhor.

Era um sussurro cauteloso. Poirot olhou em torno. A gordinha Marilyn estava em pé à sombra do muro do chalé. Ela o chamou com um aceno e lhe falou num murmúrio.

— Mamãe não sabe de tudo — disse. — Marlene não ganhou aquele lenço da madame lá no chalé.

— Onde ela ganhou?

— Comprou em Torquay. Também comprou batom e perfume, *Newt in Paris,* nome engraçado. E um pote de base para maquilagem, que ela tinha lido a respeito num anúncio. — Marilyn deu uma risadinha. — Mamãe não sabe. A Marlene escondia tudo no fundo da gaveta, embaixo de suas roupas de inverno. Entrava no toalete do ponto do ônibus e botava a pintura quando ia para o cinema. — Marilyn riu de novo. — Mamãe nunca soube.

— Sua mãe achou essas coisas depois que sua irmã morreu?

Marilyn sacudiu o cabelo louro e fofo.

— Não — disse. — Agora eu botei em minha gaveta. Mamãe não sabe.

Poirot olhou para ela, pensativamente, e disse:

— Você parece ser uma menina muito esperta, Marilyn.

Marilyn deu um sorriso meio envergonhado.

— A srta. Bird diz que não adianta eu prestar exame para o ginásio.

— O ginásio não é tudo — disse Poirot. — Diga-me: como Marlene conseguia dinheiro para comprar essas coisas?

Marilyn olhou com muita atenção para um cano de esgoto.
— Sei não — murmurou.
— Acho que sabe — disse Poirot.
Tirou do bolso com desembaraço meia coroa e acrescentou mais outra meia coroa.
— Eu acho — disse — que há um novo tom de batom, muito bonito, chamado "Beijo Escarlate".
— Parece maravilhoso — disse Marilyn, com a mão avançando em direção aos cinco xelins. Falou num rápido sussurro. — Ela andava espionando por aí um pouquinho, era o que Marlene fazia. Observava quem se metia com quem, sabe como é? Marlene então prometia não contar e lhe davam um presentinho, entende?
Poirot soltou os cinco xelins.
— Entendo — disse.
Despediu-se de Marilyn com um aceno de cabeça e se afastou. Murmurou outra vez, sem fôlego, agora com um significado mais intenso:
— Eu entendo.
Tantas coisas se ajustavam. Mas nem todas. Nem tudo estava claro, de maneira alguma, mas ele se encontrava no caminho certo. Um caminho perfeitamente claro o tempo todo, bastava ter tido inteligência para perceber. Aquela primeira conversa com a sra. Oliver, algumas palavras casuais de Michael Weyman, a significativa conversa com o velho Merdell no cais, uma frase esclarecedora dita pela srta. Brewis, a chegada de Etienne de Sousa.

Um telefone público ficava junto ao correio da vila. Entrou na casinhola e discou um número. Alguns minutos mais tarde, estava falando com o Inspetor Bland.
— Bom, Monsieur Poirot, onde está o senhor?
— Estou aqui em Nassecombe.
— Mas não se encontrava em Londres, ontem à tarde?
— Bastam três horas e meia para chegar aqui num bom trem — observou Poirot. — Tenho uma pergunta a lhe fazer.
— Sim?

— Que tipo de iate possuía Etienne de Sousa?

— Talvez eu possa adivinhar o que está pensando, Monsieur Poirot, mas lhe garanto que não era nada disso. Não do tipo adequado para contrabando, se é o que quer dizer. Não havia divisões improvisadas e escondidas, nem compartimentos secretos. Teríamos encontrado, se houvesse. Não existia ali nenhum lugar onde se pudesse ter acondicionado um cadáver.

— Está enganado, *mon cher,* não é isso que eu quero dizer. Só perguntei que tipo de iate, grande ou pequeno?

— Ah, era muito luxuoso. Deve ter custado uma fortuna. Tudo muito elegante, recém-pintado, equipamento de luxo.

— Exatamente — disse Poirot. Sua voz soou tão satisfeita que o Inspetor Bland ficou muito surpreso.

— A que conclusão está chegando, Monsieur Poirot? — perguntou.

— Etienne de Sousa — disse Poirot — é um homem rico. Isto, meu amigo, é muito significativo.

— Por quê? — perguntou o Inspetor Bland.

— Se ajusta à minha última ideia — disse Poirot.

— Então teve uma ideia?

— Sim, afinal tenho uma ideia. Até agora eu fui muito estúpido.

— Quer dizer fomos todos muito estúpidos.

— Não — disse Poirot —, eu quis dizer especialmente eu próprio. Tive a sorte de ter um caminho perfeitamente claro apresentado a mim e não o vi.

— Mas agora está definitivamente a caminho de alguma coisa?

— Acho que sim.

— Escute, Monsieur Poirot...

Mas Poirot tinha desligado. Depois de procurar em seus bolsos moedas disponíveis fez uma chamada pessoal para a sra. Oliver, em seu número de Londres.

— Mas não — apressou-se em acrescentar, quando fez seu pedido — perturbem a senhora para atender ao telefone, se ela estiver trabalhando.

Lembrou-se de como a sra. Oliver certa vez o repreendera severamente, por interromper uma sequência de pensamento criativo e como, em consequência, o mundo fora privado de um sensacional mistério centralizado em torno de um colete de lã antigo, com mangas compridas. A central telefônica, entretanto, não soube apreciar seus escrúpulos.

— Bom — perguntaram —, quer uma chamada pessoal ou não?

— Quero — disse Poirot, sacrificando o gênio criador da sra. Oliver no altar de sua própria impaciência.

Ficou aliviado quando a sra. Oliver falou. Ela interrompeu suas desculpas.

— É esplêndido que tenha me telefonado — disse. — Eu estava saindo para fazer uma palestra sobre *Como escrevo meus livros*. Agora posso mandar minha secretária ligar e dizer que estou presa por um compromisso inadiável.

— Mas, Madame, não deve deixar que eu impeça...

— Não é caso de impedir — disse a sra. Oliver alegremente. — Eu iria bancar uma completa idiota. Quero dizer, o que se *pode* falar a respeito de como se escrevem livros? Primeiro, a pessoa tem de pensar em alguma coisa e depois, já tendo pensado, forçar a si próprio a se sentar e escrever. É tudo. Levaria só três minutos para explicar isso e então a palestra acabaria e todos ficariam muito aborrecidos. Não posso imaginar por que as pessoas se interessam tanto em ouvir os autores *falarem* a respeito de escrever. Eu deveria ter pensado que o negócio do escritor é *escrever* e não *falar*.

— Entretanto, é sobre como escreve que quero perguntar-lhe.

— Pode perguntar — disse a sra. Oliver; — mas, provavelmente, eu não saberia a resposta. Quero dizer, a pessoa simplesmente se senta e escreve. Um minutinho, estou com um chapéu horroroso que ia usar para a palestra e *preciso* tirá-lo. Arranha minha testa. — Houve uma pausa momentânea e então a voz da sra. Oliver recomeçou, num tom de alívio — Chapéus são apenas um símbolo hoje em dia, não? Quero dizer, não são mais usados por razões sensatas; para aquecer a cabeça, proteger do sol ou esconder o rosto de pessoas a quem não se quer encontrar. Desculpe, Monsieur Poirot, disse alguma coisa?

— Foi apenas uma exclamação. É extraordinário — disse Poirot, e sua voz manifestava um temor reverente. — A senhora sempre me dá ideias. Também era assim meu amigo Hastings, a quem não vejo há muitos e muitos anos. Agora a senhora me forneceu a chave para outro aspecto do meu problema. Mas não falemos mais deste assunto. Quero, em vez disso, fazer-lhe a minha pergunta. Conhece um cientista atômico, Madame?

— Se conheço um cientista atômico? — perguntou a sra. Oliver, em tom surpreso. — Não sei. Suponho que *talvez*. Quero dizer, conheço alguns professores, etc. Jamais tenho certeza do que realmente *fazem*.

— Entretanto, um cientista atômico é um dos personagens principais de sua Caçada ao Assassino, não?

— Ah, sim! Foi apenas para ser moderna. Quero dizer, quando fui comprar presentes para meus sobrinhos, no natal passado, não havia nada além de ficção científica e brinquedos estratosféricos e supersônicos, e então pensei, quando comecei a planejar a Caçada ao Assassino, "é melhor colocar um cientista atômico como o suspeito principal e ficar atualizada". Afinal, se precisasse de um pouco de jargão técnico para o personagem poderia sempre perguntar a Alec Legge.

— Alec Legge — o marido de Sally Legge? Ele é um cientista atômico?

— Sim, é. Não de Harwell. De alguma parte de Gales. Cardiff. Ou Bristol, não é? Eles alugaram um chalé no Helm só para o período de férias. Sim, claro, eu *conheço* um cientista atômico, afinal de contas.

— E foi ao encontrá-lo na mansão Nasse, provavelmente, que pôs na cabeça a ideia de colocar um cientista atômico na Caçada. Mas a mulher dele não é iugoslava.

— Ah, *não* — disse a sra. Oliver. — Sally é tão inglesa quanto a própria Inglaterra. Percebe isso, claro?

— Então, o que a fez pensar numa esposa iugoslava?

— Realmente, não sei... Refugiados, talvez? Estudantes? Todas aquelas moças estrangeiras do albergue invadindo os bosques e falando aquele inglês errado.

— Entendo... Sim, percebo agora muitas coisas.

— Já é tempo — disse a sra. Oliver.

— *Pardon?*

— Eu disse que já era tempo — disse a sra. Oliver — para o senhor perceber as coisas, quero dizer. Até agora, não parece ter feito *nada*. — Sua voz tinha um tom de repreensão.

— Não se pode chegar às coisas de repente — disse Poirot, defendendo-se. — A polícia — ele acrescentou — foi completamente frustrada.

— Ah, a policia — disse a sra. Oliver. — Mas, se uma mulher estivesse dirigindo a Scotland Yard...

Reconhecendo esta frase muito corriqueira, Poirot apressou-se em interromper.

— O caso foi complexo — disse. — Extremamente complexo. Mas agora, digo-lhe isto confidencialmente, agora eu chego a conclusões!

A sra. Oliver continuou pouco impressionada.

— Muito bem — disse —; mas, enquanto isso, houve dois assassinatos.

— Três — Poirot corrigiu-a.

— Três assassinatos? Quem foi a vítima do terceiro?

— Um velho chamado Merdell — disse Hercule Poirot.

— Não tinha ouvido falar desse — disse a sra. Oliver. — Vai sair nos jornais?

— Não — disse Poirot —, até agora ninguém suspeitou que fosse algo além de um simples acidente.

— E não foi um acidente?

— Não — disse Poirot —, não foi um acidente.

— Bom, diga-me quem fez isso — todas essas coisas, quero dizer — ou será que não pode falar pelo telefone?

— Não se dizem essas coisas pelo telefone — falou Poirot.

— Então vou desligar — declarou a sra. Oliver. — Não posso suportar isso.

— Espere um momento — disse Poirot —, há alguma coisa mais que eu gostaria de lhe perguntar. O que era mesmo?

— Isso é sinal de velhice — disse a sra. Oliver. — Também faço isso, esqueço as coisas...

— Houve alguma coisa, uma pequena questão, que me preocupou. Foi no abrigo dos barcos...

Ele fez a mente recuar para o passado. Aquela pilha de revistas. As frases de Marlene rabiscadas na margem. "Alberto trepa com Doreen". Ele tinha a sensação de que havia algo faltando — tinha de perguntar alguma coisa à sra. Oliver.

— Alô, Monsieur Poirot, ainda está no telefone? — perguntou a sra. Oliver. Ao mesmo tempo, o operador pediu mais dinheiro.

Concluídas essas formalidades, Poirot falou mais uma vez.

— Ainda não desligou, Madame?

— Eu ainda estou aqui — disse a sra. Oliver. — Não vamos desperdiçar mais dinheiro perguntando um ao outro se não desligamos. De que se trata?

— É algo muito importante. Lembra-se de sua Caçada ao Assassino?

— Bom, claro que me lembro. Praticamente estávamos falando sobre isso, não?

— Cometi um grave erro — disse Poirot. — Nunca li sua sinopse para os competidores. Diante da gravidade da descoberta de um assassinato, isto não parecia ter importância. A senhora é uma pessoa sensível, Madame. É afetada por sua atmosfera, pelas personalidades ou as pessoas comuns que encontra. E isto se traduz em seu trabalho. Não de maneira reconhecível, mas são a inspiração da qual sua mente fértil tira suas criações.

— É uma linguagem muito lisonjeira e retórica, a que está usando — disse a sra. Oliver. — Mas o que quer dizer exatamente?

— Que a senhora sempre soube mais a respeito deste crime do que percebeu. Agora, quanto à pergunta que quero fazer-lhe

— são, na verdade, duas perguntas; mas a primeira é muito importante. Quando começou a elaborar o projeto para sua Caçada ao Assassino tinha a intenção de fazer com que o corpo fosse descoberto no abrigo dos barcos?

— Não, não tinha.

— Onde pretendia que fosse?

— Naquela engraçada casinha metida no meio dos rododendros, perto da casa. Achei que aquele era exatamente o lugar. Mas então alguém, não consigo lembrar com precisão quem, começou a insistir que deveria ser encontrado na Extravagância. Bom, isso, naturalmente, era uma ideia *absurda!* Quero dizer, qualquer pessoa poderia caminhar até ali, casualmente, e achá-lo, sem ter seguido uma única pista. As pessoas são tão estúpidas. Claro que eu não poderia concordar com isso.

— Então em vez disso aceitou o abrigo dos barcos?

— Sim, foi exatamente o que aconteceu. Não havia nada realmente contra o abrigo dos barcos, embora eu ainda pense que a pequena cabana teria sido melhor.

— Sim, foi a técnica que a senhora descreveu para mim naquele primeiro dia. Há mais uma coisa. Lembra-se de ter me dito que havia uma pista final escrita numa das revistas que Marlene recebeu para se divertir?

— Sim, claro.

— Diga-me, era alguma coisa como — ele forçou a memória a recuar até o momento em que ficou lendo as várias frases rabiscadas — "Alberto trepa com Doreen; Georgie Porgie beija 'hippies' no bosque; Peter belisca as meninas no cinema?"

— Meu Deus, não — disse a sra. Oliver com a voz ligeiramente chocada. — Não era nenhuma tolice dessas. Não, a minha pista era completamente direta. — Ela baixou a voz e falou em tom de mistério: — "Espie na mochila da 'hippie'."

— *Epatant!* — gritou Poirot. — *Epatant!* Claro, a revista que estava com isto escrito *tinha* de ser retirada de lá. Poderia dar alguma ideia a alguém!

— A mochila, é claro, estava no chão, ao lado do corpo, e...

— Mas é em outra mochila que eu estou pensando.

— O senhor está me deixando confusa com todas essas mochilas — queixou-se a sra. Oliver. — Havia apenas uma em minha história de assassinato. Não quer saber o que existia nela?

— De maneira alguma — disse Poirot. — Quero dizer — acrescentou polidamente —, eu ficaria encantado em saber, naturalmente, mas...

A sra. Oliver cortou a frase no "mas".

— Muito engenhoso, *eu* acho — disse ela, com o orgulho da autoria na voz. — Sabe, no bornal de Marlene, que supostamente era o bornal da esposa iugoslava, se entende o que eu quero dizer...

— Sim, sim — disse Poirot preparando-se para se perder mais uma vez no nevoeiro.

— Bom, estava ali o vidro de remédio contendo veneno com o qual o proprietário rural envenenou sua mulher. Sabe, a moça iugoslava estava lá recebendo treinamento como enfermeira, e se encontrava na casa quando o Coronel Blunt envenenou sua primeira mulher, por causa do dinheiro dela. E ela, a enfermeira, agarrou o vidro e o levou consigo e depois voltou para fazer chantagem com ele. Este, claro, é o motivo pelo qual ele a assassina. Isto faz sentido, Monsieur Poirot?

— Sentido com o quê?

— Com as suas ideias — disse a sra. Oliver.

— Absolutamente — disse Poirot, mas acrescentou depressa. — De qualquer maneira, meus parabéns, Madame. Tenho certeza de que sua Caçada ao Assassino foi tão engenhosa que ninguém ganhou o prêmio.

— Mas ganharam — disse a sra. Oliver. — Bastante tarde, cerca das sete horas. Uma velha senhora, muito persistente, que se supunha ser completamente gagá. Ela encontrou todas as pistas e chegou ao abrigo dos barcos triunfalmente, mas a polícia estava lá, é claro. Então ela soube do crime e foi a última pessoa, na festa inteira, a ouvir falar dele, eu imagino. De qualquer jeito, recebeu o prêmio. — Acrescentou com satisfação: — Aquele horroroso jovem com sardas que disse que eu bebia como uma esponja jamais passou do jardim das camélias. — Algum dia, Madame — disse Poirot —, a senhora vai me contar essa sua história.

— Na verdade — disse a sra. Oliver —, estou pensando em transformá-la num livro. Seria uma pena desperdiçá-la.

E podemos mencionar aqui que, cerca de três anos mais tarde, Hercule Poirot leu "A mulher no bosque", por Ariadne Oliver, e ficou imaginando se já conhecia aquele livro, porque algumas pessoas e incidentes lhe pareciam vagamente familiares.

18

O SOL SE PUNHA QUANDO Poirot chegou ao chalé conhecido oficialmente como Mill Cottage, mas que todos os moradores locais chamavam de Pink Cottage, junto ao rio Lawder. Bateu à porta e esta foi aberta com tanta violência que ele deu um pulo para trás. Um homem com ar aborrecido olhou-o por um momento, sem reconhecê-lo. Depois, deu uma curta risada.

— Olá — disse —, é o detetive. Entre, Monsieur Poirot. Estou fazendo as malas.

Poirot aceitou o convite e entrou no chalé. Era mobiliado de maneira simples, quase pobre. E os pertences pessoais de Alec Legge, naquele momento, ocupavam um espaço desproporcional. Livros, papéis e peças de roupa estavam espalhados por toda parte e no chão havia uma mala aberta.

— É a ruptura final do *ménage* — disse Alec Legge. — Sally foi embora. Espero que já saiba disso.

— Não sabia, não.

Alec Legge deu uma risada curta.

— Estou satisfeito de ver que não sabe alguma coisa. Sim, ela se cansou da vida de casada. Vai viver com aquele monótono arquiteto.

— Sinto muito.

— Não sei por que deveria sentir.

— Mas sinto — disse Poirot, afastando dois livros e uma camisa e se sentando no canto do sofá —, porque não acho que ela vá ser tão feliz com ele como seria com o senhor.

— Ela não tem sido particularmente feliz comigo, nestes últimos seis meses.

— Seis meses não são uma vida — disse Poirot —, mas apenas um curto espaço de tempo do que poderia ser uma longa vida de casados.

— Está falando feito um padre, não é?

— É possível. Permita-me dizer, sr. Legge, que, se sua mulher não foi feliz com o senhor foi provavelmente mais por culpa sua do que dela.

— Ela pensa assim, com certeza. Tudo é minha culpa, suponho.

— Não tudo, mas algumas coisas.

— Ah, pode pôr a culpa toda em mim. Seria melhor eu me afogar nesse maldito rio e acabar logo com tudo.

Poirot olhou para ele pensativo.

— Estou satisfeito de ver — observou — que está agora mais perturbado com seus problemas pessoais do que com os do mundo.

— O mundo que vá para o inferno — disse o sr. Legge. Acrescentou com amargura: — Parece que banquei o completo idiota o tempo todo.

— Sim — disse Poirot —, eu diria que seu comportamento foi mais infeliz do que propriamente repreensível.

Alec Legge olhou para ele.

— Quem o contratou para me espionar? — perguntou. — Foi Sally?

— Por que pensa assim?

— Bom, nada aconteceu oficialmente. Então concluí que deve ter vindo à minha procura num serviço particular.

— Está enganado — respondeu Poirot. — Em nenhuma ocasião eu o espionei. Quando vim para cá, não tinha a menor ideia de que o senhor existia.

— Então como sabe que eu fui infeliz, ou banquei o bobo, ou qualquer coisa?

— Através da observação e da reflexão — disse Poirot. — Posso fazer uma pequena adivinhação e me dirá se estou certo?

— Pode fazer quantas adivinhaçõezinhas quiser — disse Alec Legge — mas não pense que vou entrar na brincadeira.

— Acho — disse Poirot —, que há alguns anos o senhor teve interesse e simpatia por certo partido político. Como muitos outros jovens voltados para a ciência. Em sua profissão, essas simpatias e tendências são, naturalmente, encaradas com suspeita. Não creio que chegasse jamais a se comprometer seriamente, mas *acho* que foi submetido a pressão para consolidar sua posição, de uma maneira que não queria consolidar. Tentou afastar-se e enfrentou uma ameaça. Marcaram um encontro seu com alguém. Duvido que eu chegue jamais a saber o nome daquele rapaz. Para mim, será sempre "o rapaz com uma camisa de tartaruga".

Alec Legge teve uma súbita explosão de riso.

— Suponho que aquela camisa era uma espécie de piada. Mas eu não estava enxergando as coisas de uma maneira muito engraçada naquela ocasião.

Hercule Poirot continuou.

— De tanto se preocupar com o destino do mundo e com o apuro em que se encontrava o senhor se tornou, se me permite dizer isso, um homem com quem seria quase impossível uma mulher viver feliz. O senhor não confiava em sua esposa. Isso foi uma infelicidade para o senhor, pois eu diria que sua esposa era uma mulher leal e, se percebesse quão infeliz e desesperado o senhor estava, teria ficado do seu lado, de todo coração. Em vez disso, simplesmente começou a compará-lo, de maneira desfavorável para o senhor, com um antigo amigo dela, Michael Weyman.

Ele se levantou.

— Eu o aconselharia, sr. Legge, a terminar de fazer a mala o mais rápido possível, seguir sua mulher até Londres, pedir a ela para perdoá-lo e lhe contar tudo que atravessou.

— Então é esse seu conselho — disse Alec Legge. — E que diabo tem o senhor a ver com isso?

— Nada — disse Hercule Poirot. Ele se afastou em direção à porta. — Mas eu sempre tenho razão.

Houve um momento de silêncio. Depois Alec Legge estourou numa série de risadas incontidas.

— Sabe — disse —, acho que vou seguir seu conselho. Divórcio é uma coisa muito cara. De qualquer jeito, quando se consegue a mulher que se quer e depois não se pode segurá-la, isto é meio humilhante, não acha? Vou até o apartamento dela em Chelsea e, se encontrar lá o Michael, eu o agarro por aquela gravatinha colorida que ele usa e o esgano até cair duro. Eu adoraria isso. Sim, gostaria muito.

Seu rosto iluminou-se de repente com um lindo sorriso.

— Peço desculpas por meu temperamento horrível — disse ele — e muito obrigado.

Deu uma palmada no ombro de Poirot. Com a força do golpe, Poirot cambaleou e quase caiu.

A amizade do sr. Legge era sem dúvida mais dolorosa do que sua raiva.

— E agora — disse Poirot —, saindo de Mill Cottage, com os pés doendo, e a olhar para o céu que escurecia — para onde irei?

19

O DELEGADO DO CONDADO e o Inspetor Bland ergueram os olhos com intensa curiosidade quando Hercule Poirot foi introduzido na sala. O delegado não estava com muito bom humor. Só a tranquila insistência de Bland o levara a cancelar um compromisso para jantar naquela noite.

— Eu sei, Bland, eu sei — disse com impaciência. — Talvez ele tenha sido uma espécie de mágico belga em seus bons tempos mas, pelo amor de Deus, homem, esses tempos já passaram. Qual é a idade dele?

Bland evitou, com tato, responder a essa pergunta porque, além do mais, não saberia fazê-lo. O próprio Poirot era sempre reticente a respeito da própria idade.

— A questão, senhor, é que ele estava *lá,* no local. E não conseguimos chegar a nenhuma conclusão por outros meios. Batemos sempre numa muralha.

O delegado assoou o nariz com irritação.

— Eu sei. Eu sei. Começo a acreditar na teoria da sra. Masterton, de que foi um assassino tarado. Eu até usaria sabujos, se houvesse algum lugar onde usá-los.

— Sabujos não podem farejar em cima da água.

— Sim. Eu sei o que sempre pensou, Bland. E estou inclinado a concordar com você. Mas não existe absolutamente nenhum motivo, sabe. Nem o menor possível.

— O motivo pode estar lá nas ilhas.

— Quer dizer que Hattie sabia alguma coisa a respeito de De Sousa por lá? Suponho que isto é razoavelmente possível, dada sua mentalidade. Ela era simples, todos concordam com isto. Poderia ter largado o que sabia para qualquer pessoa, em qualquer ocasião. É isso que pensa?

— Mais ou menos.

— Se foi isso, ele esperou muito tempo antes de atravessar o oceano e tomar uma atitude.

— Bem, senhor, é possível que ele não soubesse o que exatamente tinha acontecido com ela. Ele próprio contou que leu uma nota, numa coluna social, a respeito da mansão Nasse e de sua bela *châtelaine*. Palavra que eu sempre pensei — acrescentou Bland, à guisa de parêntese — significar uma coisa de prata, com correntes e com coisinhas penduradas que a avó da gente prendia à cintura — uma boa ideia. Evitaria que todas essas mulheres tolas vivessem deixando suas bolsas por aí. Parece, entretanto, que em jargão feminino *châtelaine* significa dona de casa. Como eu digo, é histórico e talvez seja verdade que ele *não soubesse* até então onde ela se encontrava ou com quem se casara.

— Mas, quando soube, atravessou o oceano prontamente num iate a fim de assassiná-la? É uma coisa forçada, Bland, muito forçada.

— Mas *poderia* ser, senhor.

— E o quê, pelo amor de Deus, poderia a mulher saber?

— Lembre-se de que ela disse ao marido: *"Ele mata pessoas"*.

— Uma recordação de assassinato? Do tempo em que ela tinha quinze anos? E, pelo que se supõe, só com a palavra dela para atestar? Claro que ele poderia simplesmente rir disso.

— Não conhecemos os fatos — disse Bland, teimosamente. — O senhor mesmo sabe que, quando se sabe *quem* fez uma coisa, é possível procurar provas e encontrá-las.

— Ahn. Fizemos investigações a respeito de De Sousa, discretamente, através dos canais habituais, e não chegamos a nenhuma conclusão.

— É justamente porque, senhor, esse engraçado sujeitinho belga poderá ter tropeçado em alguma coisa. Ele estava na casa; isto é muito importante. Lady Stubbs conversou com ele. Algumas das coisas que ela disse casualmente poderão ter-se juntado na mente dele e feito algum sentido. Seja como for, ele passou hoje a maior parte do dia em Nassecombe.

— E lhe telefonou para perguntar que tipo de iate tinha Etienne de Sousa?

— Quando telefonou pela primeira vez, sim. Da segunda foi para me pedir que combinasse este encontro.

— Bom — o delegado olhou para seu relógio —, se ele não chegar dentro de cinco minutos...

Mas, naquele mesmo momento, Hercule Poirot foi introduzido.

Sua aparência não estava tão imaculada como de costume. Seu bigode estava mole, afetado pelo úmido ar do Devon, os sapatos de verniz cobertos com espessa camada de lama, ele manquejava e tinha o cabelo despenteado.

— Bom, aí está o senhor, Monsieur Poirot! — O delegado apertou-lhe a mão. — Estamos todos excitados, aflitos para saber o que tem para nos dizer.

As palavras eram ligeiramente irônicas, mas Hercule Poirot, embora fisicamente abatido, não estava propenso a se deixar abater mentalmente.

— Não consigo imaginar — disse — como deixei de enxergar antes a verdade.

O delegado recebeu a declaração com alguma frieza.

— Devemos deduzir que agora enxergou a verdade?

— Sim, faltam detalhes, mas o esboço é claro.

— Queremos mais do que um esboço — disse o delegado, secamente. — Queremos provas. Tem provas, Monsieur Poirot?

— Posso dizer-lhe onde encontrar as provas.

O Inspetor Bland falou:

— Tais como?

Poirot virou-se para ele e fez uma pergunta.

— Etienne de Sousa, suponho, já saiu do país?

— Há duas semanas. — Bland acrescentou com amargura — Não vai ser fácil trazê-lo de volta.

— Talvez seja possível convencê-lo.

— Convencê-lo? Não há provas suficientes para justificar uma ordem de extradição, e então?

— Não é questão de ordem de extradição. Se os fatos forem expostos a ele...

— Mas *que* fatos, Monsieur Poirot? — O delegado falou com alguma irritação. — Que fatos são esses sobre os quais o senhor fala tão loquazmente?

— O fato de que Etienne de Sousa veio aqui num iate de luxo, ricamente equipado, mostrando que sua família é rica, o fato de que o velho Merdell era o avô de Marlene Tucker, o que eu não sabia até hoje, o fato de que Lady Stubbs gostava de usar chapéus do tipo cule, o fato de que a sra. Oliver, apesar de uma imaginação incontida e extravagante é, sem ela própria perceber, uma astuta julgadora do caráter, o fato de que Marlene Tucker tinha batons e vidros de perfume escondidos no fundo da gaveta de sua escrivaninha, o fato de que a srta. Brewis garante ter sido Lady Stubbs quem lhe pediu para levar uma bandeja com um suco para Marlene no abrigo dos barcos.

— Fatos? — o delegado ficou encarando-o. — Chama a isso de fatos? Mas não há nada de novo nisso.

— Prefere evidências, evidências definitivas, como o cadáver de Lady Stubbs?

Agora foi Bland quem o encarou.

— Descobriu o cadáver de Lady Stubbs?

— Não o encontrei realmente — *mas sei onde está escondido*. Devem ir ao local e, quando o descobrirem, então... *então* terão provas, todas as provas de que necessitam. Pois apenas uma pessoa poderia tê-lo escondido ali.

— Quem foi?

Hercule Poirot sorriu — o sorriso satisfeito de um gato quando acabou de lamber um pires de leite.

— A pessoa que costuma ser — disse suavemente — o *marido*. Sir George Stubbs matou a mulher.

— Mas isso é impossível, Monsieur Poirot. *Sabemos* que é impossível.

— Não é, não. Absolutamente — disse Poirot. — Escutem o que vou lhes contar.

20

HERCULE POIROT parou um momento diante dos grandes portões de ferro lavrado. Olhou para a frente, em direção à curva estrada de entrada. A última das folhas douradas caía lentamente das árvores. Não havia mais nenhum ciclame.

Poirot suspirou. Continuou a caminhar, desviando-se lateralmente, e bateu de leve à porta do pequeno chalé de pilastras brancas.

Passaram-se alguns momentos e ele ouviu passos lá dentro, aqueles passos lentos e hesitantes. A porta foi aberta pela sra. Folliat. Ele não ficou espantado, desta vez, ao verificar o seu aspecto envelhecido e frágil.

Ela disse:

— Monsieur Poirot? O senhor, outra vez?

— Posso entrar?

— À vontade.

Ela o acompanhou para dentro.

Ofereceu-lhe chá que ele recusou. Depois ela perguntou, com voz tranquila:

— Por que veio?

— Acho que pode adivinhar, Madame.

A resposta dela foi oblíqua.

— Estou muito cansada — disse.

— Eu sei. — Ele prosseguiu: — Já existem agora três mortos, Hattie Stubbs, Marlene Tucker e o velho Merdell.

Ela disse, bruscamente:

— Merdell? Foi um acidente. Ele caiu do cais. Era velho, meio cego e tinha bebido no bar.

— Não foi um acidente. Merdell sabia demais.

— O que sabia ele?

— Reconheceu um rosto, ou uma maneira de caminhar, ou uma voz — algo assim. Eu conversei com ele no primeiro dia em que cheguei aqui. Ele me contou tudo a respeito da família Folliat, sobre seu sogro, seu marido e seus filhos, que morreram na guerra. Só que não morreram *os dois,* não é mesmo? Seu filho Henry morreu afogado no naufrágio de seu navio, mas seu segundo filho, James, não morreu. Inicialmente foi dado como *desaparecido, segundo se acredita, morto* e, mais tarde, a senhora disse a todos que ele *estava* morto. Não cabia a ninguém desacreditar daquela declaração. Por que fariam isso?

Poirot fez uma pausa e depois prosseguiu:

— Não pense que eu não tenha simpatia pela senhora, Madame. A vida foi dura para a senhora, eu sei. Pode não ter tido ilusões a respeito de seu filho mais novo, mas ele *era* seu filho e a senhora o amava. Fez tudo que pôde para lhe dar uma nova vida. Recebeu a tutela de uma jovem deficiente, mas muito rica. Ah, sim, ela era rica. A senhora espalhou que seus pais tinham perdido todo o dinheiro e ela era pobre e a senhora a aconselhara a se casar com um homem rico, muitos anos mais velho do que ela. Por que alguém iria desacreditar de sua história? Outra vez não cabia a ninguém fazer isso. Os pais dela e parentes mais próximos tinham morrido. Uma firma de advogados franceses em Paris agiu segundo as instruções de advogados em San Miguel. Ao se casar, ela assumiu o controle de sua própria fortuna. Ela era, como me disse, dócil, afetuosa, sugestionável. Tudo que seu marido lhe pedia para assinar, ela assinava. Valores foram provavelmente modificados e revendidos muitas vezes, mas, no final, foi alcançado o desejado resultado financeiro. Sir George Stubbs, a nova personalidade assumida por seu filho, tornou-se um homem rico e sua mulher uma pobretona. Não se trata de infração da lei chamar a si próprio "Sir", a menos que seja para obter dinheiro através de falsa aparência. Um título cria confiança — sugere, senão um nascimento nobre, certamente posses. Então o rico Sir George Stubbs, mais velho e com aspecto mudado, tendo deixado crescer uma barba, comprou a mansão Nasse e veio viver em seu próprio lugar, embora não o visitasse desde que era um rapaz. Não sobrou ninguém, depois da devastação da guerra, que tivesse possibilidades de reconhecê-lo. Mas o velho Merdell, sim. Ele guardou para si mesmo o que sabia, mas quando me disse astutamente que *sempre haveria Folliat na mansão Nasse* estava fazendo uma brincadeira particular.

— Então tudo deu bom resultado, ou pelo menos a senhora pensava assim — prosseguiu Poirot. — Seu plano, acredito plenamente, parava aí. Seu filho tinha fortuna, o lar de seus ancestrais e, embora sua mulher fosse deficiente, era uma moça bonita e dócil e a senhora esperava que ele fosse generoso para com ela e a tornasse feliz.

A sra. Folliat disse, em voz baixa:

— Pensei que iria ser assim. Eu cuidaria de Hattie e tomaria conta dela. Jamais sonhei...

— A senhora jamais sonhou, e seu filho cuidadosamente não lhe contou que, na ocasião do casamento, *ele já era casado*. Ah, sim, demos uma busca nos arquivos a fim de encontrar o que já sabíamos que existia. Seu filho tinha casado com uma moça em Trieste, uma moça do submundo do crime, com quem se escondeu após desertar. Ela não pretendia separar-se dele, e nem ele, na verdade, tinha a menor intenção de se separar dela. Aceitou o casamento com Hattie a fim de fazer fortuna mas, às ocultas, sabia desde o começo o que pretendia fazer.

— Não, não, não acredito nisso! Não posso crer... Foi aquela mulher, aquela criatura ruim.

Poirot prosseguiu implacavelmente:

— Ele pretendia cometer um assassinato. Hattie não tinha parentes e só poucos amigos. Imediatamente ao voltarem para a

Inglaterra ele a trouxe para aqui. Os criados mal a viram naquela primeira noite, e *a mulher que viram, na manhã seguinte, não era Hattie*, mas sua esposa italiana, maquilada como Hattie e se comportando mais ou menos como Hattie costumava comportar-se. E, novamente, tudo poderia ter terminado aí. A falsa Hattie teria vivido como a Hattie real embora, sem dúvida, suas faculdades mentais fossem inesperadamente melhorar devido ao que seria vagamente chamado de um "novo tratamento". A secretária, srta. Brewis, já percebia que havia pouca coisa errada nos processos mentais de Lady Stubbs.

— Mas então uma coisa totalmente imprevista aconteceu. Um primo de Hattie escreveu dizendo que vinha para a Inglaterra, numa viagem de iate, e embora não a visse por muitos anos provavelmente não seria iludido por uma impostora.

— É estranho — disse Poirot, interrompendo sua narrativa — que, embora eu tivesse pensado na possibilidade de De Sousa não ser De Sousa, jamais me ocorreu ser exatamente o contrário a verdade, ou seja, que Hattie não fosse Hattie.

Ele continuou:

— Haveria várias maneiras diferentes de enfrentar a situação. Lady Stubbs poderia ter evitado o encontro alegando doença, mas, se De Sousa permanecesse por muito tempo na Inglaterra, ela dificilmente poderia ter continuado a deixar de vê-lo. E havia já outra complicação. O velho Merdell, que a velhice tornara tagarela, costumava conversar com a neta. Ela era, provavelmente, a única pessoa que se dava ao trabalho de escutá-lo e até ela deixava de dar importância à maioria das coisas que ele dizia por julgá-lo amalucado. Entretanto, algumas das coisas que ele disse sobre um "corpo de mulher que tinha visto no bosque" e "Sir George ser o sr. James" causaram impressão suficiente nela, a ponto de fazer insinuações, experimentalmente, a Sir George. Ao fazer isto, naturalmente ela assinou a própria sentença de morte. Sir George e sua mulher não podiam se arriscar a ver histórias como aquela se espalharem. Imagino que ele deu a ela pequenas somas de dinheiro, para que ficasse calada, e começou a fazer seus planos.

— Eles elaboraram seu projeto com muito cuidado. Já sabiam a data em que De Sousa deveria chegar a Helmmouth. Coincidia com o dia marcado para a festa. Arrumaram seu plano de tal maneira que Marlene fosse assassinada e Lady Stubbs "desaparecesse" em condições tendentes a lançar uma vaga suspeita sobre De Sousa. Daí a referência feita por ela ao fato de ser ele um "homem mau" e a acusação: "ele mata gente". Lady Stubbs deveria desaparecer para sempre (possivelmente um corpo irreconhecível, como convinha, poderia ser identificado, em qualquer outra ocasião por Sir George) e uma nova personalidade deveria tomar seu lugar. Na verdade, "Hattie" simplesmente retomaria sua própria personalidade italiana. Era preciso apenas que ela fizesse um duplo papel durante um período de pouco mais de vinte quatro horas. Com a conivência de Sir George isto era fácil. No dia em que cheguei, "Lady Stubbs" deveria ter permanecido em seu quarto até pouco antes da hora do chá. Ninguém a viu ali, exceto Sir George. Na verdade, ela escapuliu, tomou um ônibus ou um trem para Exeter, e viajou de Exeter em companhia de outra moça, uma estudante (várias viajam todo dia, neste período do ano) a quem ela contou sua história da amiga que comera pastel de vitela e presunto estragado. Ela chega ao albergue, ocupa seu quartinho e sai para "explorar". À hora do chá, Lady Stubbs está na sala de visitas. Depois do jantar, Lady Stubbs vai cedo para a cama — mas a srta. Brewis viu-a escapulir da casa, pouco tempo depois. Ela passa a noite no albergue, mas sai cedo e volta como Lady Stubbs para Nasse, a fim de tomar o café da manhã. Outra vez passa a manhã em seu quarto com uma "dor de cabeça" e desta vez consegue fazer um aparecimento como "invasora", repreendida por Sir George da janela do quarto de sua mulher, onde ele finge virar-se e falar com ela dentro do quarto. As mudanças de roupa não eram difíceis, *shorts* e uma blusa leve, sob os sofisticados vestidos que Lady Stubbs, com um grande chapéu cule para esconder-lhe o rosto; um lenço colorido de camponesa, pele queimada de sol e cachos avermelhados para a moça italiana. Ninguém teria sonhado que as duas fossem a mesma mulher.

— E então foi encenado o drama final. Pouco antes das quatro horas, Lady Stubbs disse à srta. Brewis para levar uma bandeja de doces para Marlene. Isto porque temeu que a ideia ocorresse à srta. Brewis independentemente, e seria fatal se a srta. Brewis surgisse no momento errado. Talvez, também, ela tivesse um prazer malicioso em fazer a srta. Brewis estar no cenário do crime, mais ou menos na hora em que foi cometido. Então, escolhendo a hora, ela entrou na tenda vazia de leitura da sorte, saiu pelos fundos, entrou na cabana entre os arbustos, onde mantinha sua mochila de andarilha, com a muda de roupas. Esgueirou-se pelo bosque, chamou Marlene para deixá-la entrar e estrangulou naquela hora e local a menina, que de nada suspeitava. O grande chapéu cule ela atirou no rio e depois mudou a roupa, transformando-se em "hippie", tirou a maquilagem, guardou seu vestido de crepe ciclame e sapatos de salto alto na mochila e, pouco depois, uma estudante italiana do Albergue da Juventude encontrava-se com sua amiga alemã nos espetáculos que se realizavam no gramado, e partia com ela, no ônibus local, como combinado. Onde está ela agora, eu não sei. Suspeito que no Soho onde, sem dúvida, tem ligações de sua própria nacionalidade com o submundo, que poderão fornecer-lhe os documentos necessários. De qualquer maneira, não é uma moça italiana que a polícia está procurando, mas Hattie Stubbs, mentalmente deficiente, anormal, exótica.

— Mas a pobre Hattie Stubbs está morta, como a senhora mesma, Madame, sabe tão bem. A senhora revelou este conhecimento quando falei consigo na sala de visitas, no dia da festa. A morte de Marlene tinha sido um grande choque para si, a senhora não tinha a menor ideia do que fora planejado; mas revelou muito claramente, embora eu fosse suficientemente estúpido para não perceber na ocasião que, ao falar de "Hattie", referia-se a *duas pessoas diferentes,* uma delas, uma mulher de quem não gostava e preferia ver morta, e contra quem me advertiu para "não acreditar numa só palavra do que dissesse", e a outra uma moça de quem falava no passado, e a quem defendia com calorosa afeição. Eu acho, Madame, que a senhora gostava muito da pobre Hattie Stubbs...

Houve uma longa pausa.

A sra. Folliat estava sentada, completamente imóvel em sua cadeira. Afinal recuperou-se e falou. Sua voz tinha a frieza do gelo.

— Sua história toda é completamente fantástica, sr. Poirot. Eu realmente acho que deve estar louco...Tudo isto é coisa inteiramente de sua cabeça, não tem a menor prova do que diz.

Poirot aproximou-se de uma das janelas e a abriu.

— Escute, Madame. O que está ouvindo?

— Sou um pouco surda... O que deveria ouvir?

— *Golpes de uma picareta...* Estão quebrando a base de concreto da Extravagância... Que ótimo lugar para sepultar um corpo, onde uma árvore foi arrancada e a terra já está revolta. Pouco tempo depois, para tornar tudo mais seguro, lançar concreto sobre o solo onde jaz o corpo e, sobre o concreto, edificar uma Extravagância... — Acrescentou com brandura: — A Extravagância de Sir George... A Extravagância do proprietário da mansão Nasse.

Um longo suspiro trêmulo escapou da sra. Folliat.

— Um lugar tão lindo — disse Poirot. — Só uma coisa ruim... O homem que o possui...

— Eu sei. — As palavras dela saíram roucas. — Eu sempre soube. Mesmo quando menino ele me assustava... Cruel... Sem piedade... E sem consciência... Mas era meu filho e eu o amava... Deveria ter contado tudo, após a morte de Hattie... Mas ele era meu filho. Como poderia ser *eu* a pessoa que o entregaria? E então, por causa de meu silêncio, aquela pobre menina tolinha foi assassinada... E depois dela, o querido velho Merdell... Onde iria tudo parar?

— Um assassino não para nunca — disse Poirot.

Ela curvou a cabeça. Por alguns momentos ficou assim, com as mãos cobrindo os olhos.

Depois, a sra. Folliat da mansão Nasse, descendente de uma longa dinastia de bravos, ficou ereta. Olhou de frente para Poirot e sua voz assumiu um tom formal e distante.

— Obrigada, Monsieur Poirot — disse —, por vir me comunicar tudo isso pessoalmente. Quer fazer o favor de sair, agora? Há algumas coisas que uma pessoa precisa enfrentar completamente sozinha...

FIM

Surpreso com o desfecho desse mistério?

Não deixe de conferir outros desafios que
a Rainha do Crime preparou para seus detetives:

A casa do penhasco
A casa torta
A maldição do espelho
A mansão Hollow
Assassinato na casa do pastor
Assassinato no Expresso do Oriente
Caio o Pano
Cem gramas de centeio
Convite para um homicídio
Hora zero
M ou N?
Morte na Mesopotâmia
Morte no Nilo
Nêmesis
O Natal de Poirot
O mistério dos sete relógios
Os crimes ABC
Os elefantes não esquecem
Os trabalhos de Hércules
Poirot perde uma cliente
Treze à mesa
Um corpo na biblioteca
Um pressentimento funesto

Este livro foi impresso na China, em 2020,
para a HarperCollins Brasil.
A fonte usada no miolo é Bembo, corpo 11/14.